LA PÉNINSULE

Louis-Bernard Robitaille

LA PÉNINSULE

Roman

NOTAB/LIA

ISBN : 978-2-88250-365-7

I

LA BROYEUSE

1

Je n'avais jamais imaginé que cela m'arriverait à mon tour. Je le savais bien pourtant, personne n'était à l'abri, il suffisait d'un mot de travers, d'une maladresse ou d'un peu de malchance pour être happé par la grande broyeuse. J'avais vu placés sous enquête administrative des ministres, des chirurgiens célèbres, des universitaires, des tribuns ouvriers, mais aussi de simples quidams qui avaient eu un jour la mauvaise idée de se trouver au mauvais endroit au moment où il ne fallait pas. Mais quand on a décidé de ne pas ajouter foi aux mauvais présages, on ne voit rien, même quand la foudre tombe à proximité.

Et puis un jour elle s'abattit sur moi, cette glu poisseuse que la Faculté appela par la suite *angoisse administrative*. Cela commençait par de petits signes auxquels on ne fait pas attention. Un collègue de longue date avec qui vous aviez l'habitude d'échanger des plaisanteries à la machine à café prétextait une urgence, un oubli soudain, pour fuir à votre approche, se dérober au moment de prendre l'ascenseur en votre compagnie. Les deux secrétaires attitrées de votre service, avec qui vous vous amusiez jusque-là à entretenir des rapports galants, plongeaient le nez dans les dossiers ou semblaient hypnotisées par l'écran de leur ordinateur dès que vous mettiez le pied dans leur bureau. Elles ne riaient plus jamais. Vous demandiez, Mais où en est donc la réunion tant annoncée du Comité de coordination, et l'on vous répondait, Elle a déjà eu lieu il y a trois jours, vous constatiez qu'on avait oublié de vous y convoquer. Quant aux pots de fin de journée qu'on improvisait dans des bureaux ou dans un bar du quartier, ils semblaient avoir été supprimés ou alors on les organisait dans votre dos, vous en entendiez parler deux jours après. Il se faisait autour de vous un silence d'autant plus difficile à définir que, si vous aviez la naïveté de demander, Y a-t-il un problème, on vous répondait, Mais non, mon vieux, tout va pour le mieux, pourquoi poses-tu cette question ? S'interroger c'était déjà manifester de l'inquiétude, et manifester de l'inquiétude c'était un premier aveu de culpabilité.

Le dilemme dans ce genre de circonstance était de savoir s'il valait mieux faire le mort, tenir avec aplomb le rôle de l'innocent qui n'a rien à se reprocher et n'a rien remarqué, ou alors jouer les outragés et s'étonner en toute candeur d'avoir été mis à l'écart de tous les dossiers en cours. Le choix entre les deux options se jouait à pile ou face, mais dans la situation angoissante qui était la sienne, le paria penchait généralement pour la seconde, espérant au moins tirer l'affaire au clair et dissiper le *malentendu*, rêvant de s'entendre dire que tout ça n'était rien, qu'il se faisait des idées.

Un jour, en fin d'après-midi, je me résolus à aller rendre visite à Diamantis, notre superviseur en charge des dix-septième et dix-huitième étages. Diamantis, c'était un vieux de la vieille, il était né dans les murs, il avait vu passer tous les régimes, il réussissait à faire tourner la machine sans laisser nulle part la moindre trace personnelle, il n'avait plus aucune ambition, sinon celle de conserver son bureau, son titre de superviseur, son petit appartement de service et sa carte Santé Plus jusqu'à sa mort. Au fil des ans, il s'était employé à réduire progressivement le champ de ses compétences, à ne plus prendre aucune décision qu'on pût un jour associer à son nom. Il affichait un détachement de bon aloi, maniait l'ironie avec finesse et se contentait de distribuer les dossiers sans laisser voir ses préférences pour les uns et les autres, n'avait rigoureusement aucune opinion sur les affaires en cours. Il était en bons termes avec tout le monde et ne fréquentait véritablement personne.

Faussement décontracté, je lui demandai à la blague s'il avait décidé de me mettre au chômage technique et pourquoi je n'avais pas eu la moindre nouvelle affectation depuis le début du mois. Comme s'il décidait quoi que ce fût à ce niveau ! Diamantis prit son air étonné habituel, fronça le sourcil, remua quelques papiers sur son bureau, feuilleta son agenda, Tiens, c'est vrai, Jimmy, cela fait un moment qu'on ne t'a rien donné, il sourit, Mais à ta place je dirais merci, cela te fait des loisirs. Je ne pus m'empêcher de lâcher le mot fatal, Kostas, est-ce qu'il y a un problème ? Je regrettai aussitôt de m'être découvert, mais il s'empressa de me rassurer, De quoi parles-tu ? Il n'y a aucun problème, en dehors du fait que, ces jours-ci, les services sont un peu sur les dents, rapport à l'enquête en cours, ça occupe beaucoup de monde. L'enquête en cours ? Quelle enquête ? Diamantis leva les yeux au ciel en signe de lassitude, Bof, ce complot Echeverria, ça ne finit jamais, on n'arrive toujours pas à clore le dossier, soi-disant qu'il y a des ramifications par-ci, des ramifications par-là. Mais bon, on devrait en venir à bout un de ces jours prochains, ne t'en fais pas.

Par cette indiscrétion peut-être délibérée du vieux Diamantis je compris le fin mot de l'histoire : j'étais sur la liste des suspects dans le ténébreux feuilleton qui défrayait la chronique depuis des semaines. Pourquoi Echeverria et pourquoi moi ? Parce que. Echeverria avait été pendant des années un poids lourd de la politique, un vice-ministre de la Sécurité influent, il avait la haute main sur le département des Études dont j'étais le numéro trois local et restait l'homme fort du District Capitale où j'avais toujours fait carrière. Si l'on respectait à la lettre la hiérarchie, je dépendais de lui, j'évoluais dans le marigot dont il était le chef. Cela ne voulait rien dire, des dizaines d'officiers des Organes étaient dans le même cas, mais qu'importe, j'avais été classé une fois pour toutes parmi les hommes d'Echeverria. Je le connaissais à peine, même si à une certaine époque il m'avait convoqué à deux reprises dans son bureau. Une affaire confidentielle et délicate : sa première épouse dont il était séparé depuis des années avait fait du scandale sur la place publique, elle s'en était tirée avec un simple avertissement, mais elle avait récidivé, et la procédure de relégation avait été lancée. On pouvait encore intervenir et tuer l'affaire dans l'œuf sans provoquer de remous sur la place publique, mais pour y arriver il fallait mettre deux ou trois autres responsables dans le coup, cela laisserait des traces. C'est une opération un peu limite, j'en conviens, m'avait dit le vice-ministre, mais il est clair que j'en assume la responsabilité, je vous couvre. L'épisode était vieux de quatre ans et je n'en avais plus jamais entendu parler. Aujourd'hui cet Echeverria, qu'on accusait de je ne sais quoi, de corruption, d'encouragement à l'incivisme ou de sinophobie, était certainement en train de se faire cuisiner dans les sous-sols du Confessionnal, on devait lui demander le nom de ses complices, car on aimait les conspirations et lui avait dû se mettre à table avec entrain et aligner des noms à perte de vue. Mais au sein des Organes on ne se contentait pas de simples dénonciations à la va-vite, on aimait les accusations étoffées. L'épisode de l'ex-épouse du vice-ministre était alléchant, et le nom du capitaine Jimmy Durante s'était sans doute pour cette raison retrouvé en bonne position sur la liste des futurs coupables. Les bases étant jetées, on n'avait plus qu'à broder sur ce canevas prometteur. J'avais le mot SUSPECT inscrit sur le front.

Pour donner le change, je multipliais les rendez-vous en ville et continuais de sortir le soir dans les lieux mal famés habituels. Cela me permettait de m'absenter autant que possible de la Tour d'émeraude. Mes contacts, mes indics, mes protégés ignoraient tout de mes ennuis de bureau, on me traitait toujours avec le même respect, cette déférence finissait par me rassurer de façon provisoire, peut-être tout cela n'était-il qu'un mauvais rêve, une succession de malentendus, c'était à coup sûr le résultat d'une enquête bâclée par un exécutant borné et zélé. Mais à l'échelon supérieur il se trouverait bien un responsable lucide et courageux pour mettre un terme à ce délire, un juge instructeur conclurait au non-lieu, on effacerait du disque dur toutes les traces et tout redeviendrait comme avant. Mais la nuit je devais me bourrer de somnifères pour trouver le sommeil et, le jour, j'avalais des remontants pour avoir le courage d'aller au bureau où je faisais semblant de classer des papiers de la plus haute importance et de mener des recherches fiévreuses sur mon écran.

Le temps avait passé depuis mon entretien avec Diamantis, il n'y avait toujours rien de nouveau. Les chefs ne me confiaient aucun nouveau dossier. J'étais cérémonieusement convoqué aux réunions officielles, celles où l'on ne décidait rien, comme pour souligner que je n'étais justement pas invité aux *vraies* réunions. On me saluait poliment à mon arrivée et, sitôt la réunion levée, chacun regagnait ses quartiers sans m'adresser la parole. Je faisais de même, arborais un air imperturbablement affairé, je tentais de nouveau de me convaincre qu'il ne s'était rien passé, d'ailleurs je n'avais pas reçu le moindre message de la Commission de contrôle, ni de fiche personnelle à compléter ni de biographie actualisée à retourner dans les quarante-huit heures, encore moins de citation à comparaître. Mais la nuit, malgré les cachets, je passais et repassais dans ma tête cet échange avec Diamantis, Ce n'est rien Durante, ce n'est rien, il y a seulement que tout le monde est débordé à cause du scandale Echeverria. Là-dessus le vieux Diamantis, dont le visage prenait dans mon demi-sommeil des traits diaboliques, se mettait à répéter en boucle, Echeverria ? Mais vous n'y êtes pour rien, bien entendu, Echeverria vous n'y êtes pour rien. La scène suivante, je l'apercevais de nouveau, mais dans le bureau des chefs, assis dans un fauteuil, avec un sourire sardonique il rendait compte de notre entretien à d'invisibles supérieurs, En effet, le capitaine Durante est venu dans mon bureau, il était déjà très inquiet, et lorsque j'ai mentionné le nom d'Echeverria il a eu l'air encore plus inquiet, je crois bien qu'on l'a ferré. On disait ça tout le temps dans nos services, Untel on l'a bien ferré. Après quoi je me voyais littéralement ferré moi-même dans des positions et des situations diverses, cellule de garde à vue, transport de forçats, salle d'interrogatoire.

Avant de sombrer dans le délire, il fallait que je parle à quelqu'un. Donc à Troubetskoï. Depuis que mes ennuis avaient commencé, j'avais évité de le croiser. Il n'avait pas non plus cherché à me joindre, mais cela ne voulait pas dire qu'il me fuyait. Anatoli Troubetskoï était un ami sûr, nous avions scellé un pacte clandestin, on ne nous voyait jamais ensemble sauf pour les besoins du service, mais nous nous tenions mutuellement au courant des rumeurs et des intrigues pour mieux les tuer dans l'œuf, nos services respectifs échappaient à la paranoïa générale.

Partout ailleurs dans les bureaux, tout le monde se méfiait de tout le monde. Sauf pour nous qui connaissions les angles morts et les failles des systèmes de surveillance, les faits et gestes des uns et des autres étaient captés en permanence dans l'ensemble de l'espace public, toute dénonciation un peu circonstanciée pouvait être vérifiée, il suffisait d'éplucher les données des appareils de contrôle pour retrouver la phrase incriminée, eût-elle été chuchotée à l'oreille en pleine rue. Deux mots de travers, et la machine inquisitoriale se mettait en branle. Il pouvait arriver, à l'occasion d'une fête un peu trop arrosée, que quelqu'un se laisse aller à des plaisanteries sur des sujets délicats. Généralement on faisait comme si l'on n'avait rien entendu. Mais parfois la remarque imprudente parvenait à une oreille malveillante. Ainsi un jeune collègue fraîchement promu aspirant contrôleur, voyant notre décontraction et le cynisme de bon aloi qui avait cours dans notre service, avait été saisi d'une sorte d'euphorie, En somme, avait-il hoqueté sous l'emprise de produits stupéfiants, il suffit pour avoir la paix de passer sous silence le fait que les Chinetoques mènent le monde et qu'on achève les vieillards, du moins si j'ai bien compris… Il avait bien proféré les mots impensables, Les Chinetoques… On achève les vieillards… Le double sacrilège aurait pu se perdre dans le brouhaha, mais un témoin de la scène avait rapporté la phrase à l'échelon supérieur. L'aspirant contrôleur, qui entre-temps avait dessoûlé et ne se souvenait de rien sinon de s'être amusé comme jamais dans sa vie, avait reçu une citation à comparaître devant *ces messieurs* de la Commission interne. Il n'était plus jamais ressorti de leurs bureaux et personne ne savait ce qu'il était devenu, ou plutôt nous nous en doutions tous, mais sans savoir exactement quel traitement on lui avait infligé, dans quel camp *intermédiaire* ou de transit on l'avait interné. Telle était la règle du jeu : on encourageait chacun à la prudence, on évitait la délation, mais si par malheur quelqu'un tombait, plus personne ne le connaissait, on détournait le regard même lorsque par mégarde on lui marchait dessus.

À première vue, nous n'avions pas grand-chose en commun Anatoli et moi. Lui avait toujours œuvré dans la protection et le maintien de l'ordre, il avait commencé dans le privé, c'était un homme de la base qui était monté en grade, un autodidacte recruté à vingt ans pour ses qualités de meneur, son intelligence et son courage physique. On avait fini par lui confier l'instruction de procès *sensibles*, il avait appris à se mesurer aux puissants de la ville et n'avait pas son pareil pour venir à bout des plus récalcitrants. Il était d'une politesse irréprochable avec les prévenus, leur donnait du monsieur, n'élevait jamais la voix, ne frappait jamais personne, se contentait de guetter la faille, la petite contradiction dans le récit. Il pouvait mener un interrogatoire dix heures d'affilée en prenant à peine le temps d'avaler une coûteuse bière d'importation et quelques *tramezzinis* au thon et aux olives, ou au saumon, de délicieux petits sandwichs triangulaires au pain de mie dont il était particulièrement friand et que son traiteur venait lui apporter enveloppés dans des torchons humides. Excusez-moi, disait-il au prévenu qui n'avait ni dormi ni mangé depuis quarante-huit heures, mais je n'ai pas eu le temps de déjeuner. Aucun ne résistait plus de deux semaines à la méthode Anatoli Troubetskoï, et tous s'étaient montrés par la suite de parfaits coupables lors de leur procès public.

Je venais des antipodes. À vingt ans je ne m'intéressais qu'à la littérature, seuls comptaient pour moi Stendhal et Thomas Mann. Puis j'écrivis une thèse consacrée à *L'évanescence dans l'œuvre d'Edith Wharton*. Je rêvais d'être écrivain. Mais les ambitions littéraires et les revues confidentielles ne nourrissent pas leur homme. Par paresse et par goût de la vie facile je devins un mercenaire de l'écriture, rewriter, nègre, journaliste mondain pour un puissant groupe de presse et d'édition, New Century Press, je fréquentais les lieux de nuit à la mode, je partais en week-end dans des stations balnéaires huppées, je voyageais en première, je descendais dans les meilleurs hôtels, je réglais rarement l'addition, j'interviewais des actrices dont certaines, les moins célèbres, avaient parfois des largesses pour moi. En échange d'un loyer dérisoire je disposais dans le quartier bohème d'un bel appartement qui appartenait au groupe.

En quelques années tout bascula. Les médias et les groupes éditoriaux disparurent, New Century Press fut racheté par une holding chinoise pour la valeur de son parc immobilier, et j'étais à la rue.

À la suite de la directive n° 417 du CMS dite *Restructuration et rationalisation*, on s'en souvient, les pouvoirs publics avaient commencé à interner dans les centres médicaux fermés (CMF), sans droit de visite, les vieillards et les grands malades restés à la charge de l'État. Les richissimes échappaient aux rafles grâce à de coûteuses assurances privées, les membres de la Nomenclature avaient droit d'office à la carte Santé Plus, elle allait de pair avec le logement de fonction et le passeport A, c'est-à-dire le droit de résidence dans les grandes villes et les zones prioritaires. Tous les autres étaient dirigés vers ces centres médicaux fermés, bientôt rebaptisés « camps sanitaires », dès qu'on leur diagnostiquait une maladie grave ou contagieuse. Dans les milieux informés, chacun savait que dans les CMF on ne soignait aucune maladie, on se contentait d'euthanasier, mais c'était un sujet tabou. Un groupe d'opposition fit circuler une tribune intitulée *Déportation et mise à mort*, qui parodiait la directive n° 417 du CMS. L'appel fut relayé par des médias et connut un certain retentissement. Pour la dernière fois le gouvernement fut obligé de s'expliquer devant le Congrès, mais aussitôt après il promulgua un décret spécifique punissant de prison ferme « toute mise en cause délibérée des politiques de santé publique ayant pour but de désinformer ou démoraliser les populations ».

D'une année sur l'autre les critères se durcirent, on imposa le dépistage automatique pour tous à soixante-cinq ans, puis à soixante, puis on institua le contrôle obligatoire annuel à cinquante ans. Il devint de plus en plus difficile de passer entre les mailles du filet. Rapidement la population rajeunit et les finances publiques se rétablirent de manière spectaculaire. Pendant un temps, certaines familles continuèrent à faire du scandale, à envoyer des lettres ouvertes à des médias marginaux et naïfs, puis ces médias furent interdits, les rédacteurs condamnés et les familles menacées de poursuites. Les autorités avaient encore besoin de recourir à la carotte et au bâton. Elles diffusèrent de petits films édifiants où des vieillards à la mine radieuse évoluaient un livre à la main dans le cadre enchanteur de maisons de santé installées au milieu de la verdure, on leur organisait des pique-niques au champagne, ils jouaient de la musique dans des orchestres symphoniques, montaient des pièces de théâtre amateur. On fit défiler en boucle des vidéoconférences où les familles conversaient avec un père ou une grand-mère, les vieux souriaient béatement, Je me porte à merveille, tout le monde est gentil avec moi, on me dit que je suis sur la voie de la guérison. Un mois plus tard les proches recevaient une lettre circulaire pleine de compassion les informant du décès de M. X***, il s'était éteint paisiblement dans sa soixante et onzième année.

Puis ce fut la question chinoise. Il est difficile de dire à quel moment précis nos pays devinrent pour de bon des protectorats de la Chine. Pendant quelque temps il avait subsisté des poches de résistance, quelques groupuscules nationalistes haranguaient encore leurs maigres troupes et les incitaient à se dresser contre « la mainmise de l'étranger », des mouvements étudiants avaient encore la prétention de jouer les libres penseurs. Certains lâchaient des gros mots, les Chinks, les Jaunasses, les Faces-de-Citron ou les Citrons-Pressés, les Bridés, les Chinetoques, les Asiates au sourire fourbe, etc. Ces écarts de langage étaient bien marginaux, mais des officines s'empressaient de les démultiplier sur les réseaux, l'ambassadeur de Chine se déplaçait en personne dans les palais gouvernementaux et réclamait des sanctions exemplaires. Les chefs de la Fédération se répandaient en excuses, le calme retombait, les petites agitations reprenaient leur cours. Les grandes émeutes antichinoises marquèrent le point de rupture. Elles commencèrent dans une capitale du Centre-Est, un vendredi après-midi. Un épisode parmi d'autres, croyait-on. Cette fois, tout se passa comme si une main anonyme avait relié des charges explosives par un fil invisible et organisé une réaction en chaîne qui parcourut d'est en ouest toutes les grandes villes du continent. Dans la capitale, cela commença sous nos fenêtres, car la Tour d'émeraude se situait au cœur même du quartier chinois historique. Nous nous étions barricadés, mais toutes les agences commerciales, les boutiques, les bureaux du rez-de-chaussée furent saccagés. Rien que dans la capitale, on dénombra plusieurs centaines de commerces et de restaurants incendiés, une vingtaine de morts par lynchages, des dizaines et des dizaines de blessés. Consignés dans nos bureaux, nous reçûmes l'ordre de ne pas bouger. Il y avait de toute évidence une vaste opération en cours. Le gouvernement fit donner les unités urbaines, qui étrangement se contentèrent de protéger les bâtiments névralgiques, les ministères et les beaux quartiers, et partout ailleurs laissèrent agir les émeutiers et les pillards. La violence atteignit son paroxysme dans la nuit du samedi au dimanche, puis, aussi mystérieusement qu'ils avaient commencé, les troubles cessèrent d'eux-mêmes le dimanche matin, laissant un spectacle de désolation dans tous les quartiers de la première couronne (le centre historique avait été épargné). On connaît la suite : Raikonnen, alors président de la Fédération, présenta des excuses grandiloquentes, annonça des mesures impitoyables contre les fauteurs de troubles, mais cela ne suffit pas. Un avion de la présidence chinoise l'amena sans délai à la Cité interdite où il se vit énumérer les termes d'une nouvelle version du traité de coexistence équitable. L'arsenal nucléaire chinois était capable d'anéantir la moitié de notre continent, mais la menace était inutile, il suffisait aux Chinois de faire mine de mettre en vente leurs réserves de devises et d'obligations d'État pour nous mettre à genoux. Notre président tenta de négocier quelques concessions de pure forme, puis céda sur toute la ligne, signa les décrets d'interdiction des partis nationalistes et des mouvements politiques les plus virulents, fit promulguer dans la semaine une loi antiraciste punissant de prison ferme tout auteur de propos xénophobes, c'est-à-dire antichinois. Il devint aussi dangereux de faire allusion aux Chinois que de soulever la question des centres médicaux fermés. Au moment où les Chinois parachevaient leur emprise, ils disparurent des écrits officiels, des écrans radar, des bulletins de nouvelles et des conversations.

Cette dernière évolution aurait pu être fatale aux médias traditionnels, mais ceux-ci avaient déjà pratiquement disparu. Grâce aux réseaux on avait désormais accès dans la minute à la biographie, aux faits et gestes de toutes les personnalités dignes de mention, à tous les événements mondiaux, même les plus lointains et les plus anodins, il suffisait d'appuyer sur la touche « Bhoutan », « Helsinki », « Paraguay » ou « Galápagos » pour se trouver en prise directe avec les contrées les plus exotiques. Il était certes de plus en plus difficile de se faire une idée générale des situations en cause, tant elles étaient innombrables, confuses, lointaines et invérifiables, guerres de religions, guerres tribales, guerres d'indépendance, massacres de masse, bavures de masse, demi-génocides, quarts de génocides, catastrophes naturelles, émeutes raciales, mais à quoi auraient donc pu servir ces vieux professionnels du commentaire tout juste capables de gloser à perte de vue sur un projet de loi garantissant la pureté de l'air, le lapsus embarrassant du président ou d'un ponte de la finance ? L'un des plus célèbres commentateurs encore en activité profita de son show télévisé pour se suicider en direct. Il venait de diffuser un sujet constitué d'actualités mises bout à bout et montées dans le désordre, élections triomphales, coups d'État, Miss Univers, quadruplés issus d'une mère porteuse âgée, cadavres mutilés. Vous voyez ces images, disait le commentateur, certaines sont vraies, mais je ne sais pas ce qu'elles signifient, les autres sont inventées, mais je ne sais pas lesquelles. Quant aux pays dont il est fait mention, certains n'existent pas. Ne croyez plus à ce que vous voyez sur les écrans. Croyez à ce que vous pouvez toucher. Là-dessus il se tira une balle de revolver dans la bouche.

À quoi bon avoir une opinion, des opinions on en avait déjà bien trop, dans la blogosphère des milliers, des dizaines de milliers de commentaires, aussi divers que fantaisistes, se bousculaient à la même seconde dans le désordre. Les thèses en présence étaient si contradictoires, variées et incohérentes qu'elles avaient toutes une chance de monter en pole position. Tout le monde était convié au débat, les hurluberlus de tous pays, les prophètes autoproclamés de quartier, les ménagères aigries, les paraplégiques en chambre. Pour donner du liant à cette cacophonie, d'innombrables agences de conseil financées par les Églises, les services de police, des partis progouvernementaux déguisés en partis d'opposition submergeaient les sites de messages préfabriqués. Tout avait été dit, pensé, écrit, il n'y avait plus rien à ajouter. On n'avait surtout pas besoin de nouveaux livres, il y avait déjà tellement d'ouvrages littéraires, poétiques, philosophiques et scientifiques disponibles sur les disques durs, on avait cessé de tenir les comptes une fois passé le cap des cinquante millions de titres. Cette concentration définitive avait du bon : la Bibliothèque centrale pouvait en quelques clics éliminer les ouvrages douteux, les expédier à la réserve, ou simplement les expurger de leurs passages malvenus. On n'éditait plus de livres, mais les auteurs en herbe avaient tous le loisir de diffuser leurs œuvres sur la Toile, on recensait chaque jour un nombre terrifiant de nouveaux romans, de traités de philosophie que personne ne lisait, à l'exception peut-être des services de la Sécurité.

Avec la fermeture de New Century Press je perdis mon bel appartement dans le centre historique, les virements bancaires furent interrompus, mon passeport A et ma carte Santé Plus allaient être désactivés dans les quatre mois. Je serais refoulé en banlieue, interdit de séjour dans la capitale, désormais à la merci du moindre contrôle sanitaire. Je venais de tomber dans le gouffre.

J'avais trente-cinq ans, des relations, de l'entregent et encore fière allure. Autour de moi, de nombreux collègues étaient dans la même situation, c'était le sauve-qui-peut. Certains avaient eu l'idée de se marier en catastrophe avec un beau parti, mais les femmes fortunées, y compris les moins désirables, n'étaient pas si nombreuses et elles devenaient méfiantes, les autorités faisaient la chasse aux mariages blancs et aux couples suspects. Un ancien voisin de bureau de New Century, Charcy, congédié quelques semaines avant moi, me signala qu'on recherchait des « post-doc sachant écrire » au département des Études, qui dépendait du ministère de la Sécurité. Je lui dis ma surprise de le voir passer chez les flics. Il haussa les épaules : le département des Études était installé à la Tour d'émeraude, c'est-à-dire dans des bureaux officiels de la Sécurité, mais on n'y torturait personne, on ne voyait même pas les suspects, ceux-ci étaient envoyés directement au Confessionnal pour être interrogés dans les sous-sols. Dans le service on se contentait de rédiger des rapports, de mettre en forme des enquêtes de terrain, de synthétiser des écrits jugés douteux au bénéfice des échelons *exécutifs*. Du travail intellectuel qui n'avait rien de répréhensible sur le plan moral et vous assurait un appartement de fonction acceptable à l'intérieur de la première couronne, sans compter les avantages annexes, passeport A, carte Santé Plus, sécurité d'emploi, avantages en nature. Charcy, qui avait déjà ses entrées au ministère, me recommanda auprès de ses supérieurs et je me retrouvai, avec le grade de simple aspirant mais la promesse de passer bientôt lieutenant, dans un vaste bureau au dix-septième étage de la Tour d'émeraude. L'appartement qu'on m'avait attribué était situé non loin de là, dans une autre tour un peu déglinguée, mais je voyais toute la ville. Cette situation dura vingt ans. Je n'en faisais pas trop, rarement au bureau avant onze heures du matin, le plus souvent possible en déplacement, dans de grands hôtels de préférence. Je pensais continuer ainsi jusqu'à ma retraite ou ma mort, je ne me faisais pas remarquer, je ne menaçais personne par mon ambition. J'avais la réputation d'aimer la débauche, mais ni plus ni moins que les autres, c'était une autre manière de passer inaperçu. Un fonctionnaire légèrement dépravé inquiétait moins qu'un subordonné ambitieux et zélé.

J'avais beau retourner le problème dans tous les sens, je n'avais commis aucune faute, même pas d'imprudence, je n'avais rien à me reprocher. Si je me retrouvais aujourd'hui dans la déchiqueteuse, c'était la faute à la malchance, il ne fallait pas chercher plus loin.

Avec Anatoli, nous avions mis au point une méthode un peu bébête pour communiquer en cas d'urgence. Il s'agissait d'envoyer sur la boîte personnelle de l'autre, à partir d'un terminal anonyme, un message succinct et codé où j'étais le Petit Chaperon rouge (PCR), lui la Mère-Grand (MG), la direction des Organes le Grand Méchant Loup (GML), le lieu de rendez-vous habituel le Galaxy Da Gino. Lui agissait de même et me répondait depuis une source également anonyme. Toutes les boîtes vocales recevaient fréquemment des messages codés parfois fantaisistes et incompréhensibles, les nôtres, en très petit nombre, passeraient inaperçus dans la masse. Si on le contrôlait, Anatoli pourrait prétendre qu'il n'avait aucune idée de l'identité de l'auteur, encore moins de la signification desdits messages. On pouvait repérer sans difficulté le terminal de départ, mais de là à passer en revue des milliers d'heures de bandes de contrôle pour tenter d'identifier l'expéditeur, jamais on ne se résoudrait à un travail si fastidieux et incertain.

Premier message de ma part : « PCR inquiet. A-t-il à craindre de GML pour des raisons précises ? » Quelques heures plus tard, le temps qu'il mette la main sur un terminal public sans éveiller les soupçons, réponse de Troubetskoï : « Chaperon déjà sous enquête officielle de GML. Développements imminents. » Nouveau message : « Imminents et graves ? » Réponse : « Vois Gino avec Mère-Grand demain aux heures convenues. » Il me fixait donc rendez-vous le lendemain à dix-neuf heures au Galaxy. C'était une immense galerie marchande où l'on vendait tous les produits bas de gamme dont un humain peut rêver : vêtements synthétiques inusables, matériel de transmission, pneus recyclés, vaisselle, produits ménagers, logiciels piratés. Il n'y venait guère en guise de clientèle que des salariés des banlieues et de la Plaine, autorisés en ville de six heures du matin à vingt-deux heures, nous ne risquions guère d'y être vus par des connaissances, mais si jamais c'était le cas nous prétendrions nous y être rencontrés au hasard d'une visite d'inspection. Le système de surveillance vidéo était ancien et nous avions depuis longtemps identifié des recoins qui échappaient aux caméras et aux micros.

J'étais sur les lieux à l'heure dite, devant l'échoppe de notre habituel vendeur de chaussures de travail bengali, laquelle jouxtait un *sushi bar* où l'on consommait debout d'étranges produits mal décongelés. Troubetskoï apparut et, de loin, me fit signe que tout était O.K. Je commandai deux mauvaises bières au comptoir et je le rejoignis dans un coin tranquille à l'écart de la foule et des mouchards.

J'étais sur le point de prendre contact avec toi, me dit Anatoli à voix basse. – C'est si grave ? – C'est très grave. L'affaire Echeverria, comme tu sais. – Et alors ? – C'est énorme. On prépare un procès public. Troubetskoï me laissa quelques secondes pour digérer cette information : cela voulait dire forcément un *grand* procès, et il n'y avait pas de grand procès sans un *grand* nombre d'accusés dans le box et forcément de lourdes condamnations. Pour Echeverria, on pouvait prévoir une peine de relégation à vie avec marquage électronique, ou dix ans de camp de travail, avec marquage toujours. Qu'avais-je à voir avec Echeverria ? Anatoli leva les yeux au ciel, il savait tout cela et n'y pouvait rien, Je voulais seulement te dire que tu es dans le collimateur, avec d'autres mais en haut de la liste, on ne peut plus arrêter la machine. L'enquête est pratiquement bouclée. – Bouclée avec quelles preuves ? m'excitai-je absurdement, le problème n'était jamais de savoir ce qu'elle donnerait, le seul fait d'être l'objet d'une enquête valait condamnation, il fallait seulement éviter de l'être, c'était aussi simple que cela. Anatoli haussa les épaules, Écoute Jimmy, je ne vais pas te mentir, tu connais la maison, ils ont tous les éléments qu'il leur faut et même davantage, ils sont au courant de ton rôle dans le dossier de l'ex-femme d'Echeverria, ils mentionnent des prétendus délits de corruption, apparemment ils ont même des images de toi dans des situations scabreuses, tu sais, les soirées chez Dombrovski. – Les soirées chez Dombrovski ? Et pourquoi ils ne vont pas arrêter Dombrovski lui-même ? C'est lui le débauché – Tu sais ce qu'ils disent dans ces cas-là, Pour l'instant c'est de vous qu'il s'agit, chaque chose en son temps.

Troubetskoï me dévisagea, les traits impassibles, il n'était pas dans nos habitudes de nous apitoyer sur les autres, pas davantage sur nous-mêmes, nous connaissions les règles du jeu. Écoute, répéta-t-il, l'enquête est bouclée, c'est terminé. D'après ce que je sais, on a déjà signé en haut lieu une mesure de suspension à ton endroit. C'est maintenant une question de jours pour le mandat d'amener.

J'avais toujours été préparé pour ce genre d'annonce, du moins le croyais-je, de même que beaucoup d'humains s'imaginent prêts à affronter un cancer ou un accident de la route qui les laisserait tétraplégiques. En fait, ils n'y ajoutent pas vraiment foi, il y a un gouffre entre l'hypothèse d'un cancer foudroyant et la réalité d'un verdict prononcé par la Faculté, Vous en avez pour trois mois, et nettement moins si vous souhaitez échapper aux douleurs les plus atroces. Dans cette galerie marchande crasseuse et surpeuplée, mon vieux camarade m'annonçait la fin du parcours, on allait venir me débrancher dans le mois. C'était banal, mais j'étais terrifié.

Tu dois trouver une solution maintenant, pendant que tu disposes encore de ta liberté de mouvement, ajouta-t-il, après ce sera trop tard. Tu sais comment ça se passe, détention provisoire jusqu'au procès, verdict prononcé dans les dix jours, internement probable dans un camp sanitaire ou de travail, marquage électronique irréversible.

Parfois, dans des moments de blues, il m'était arrivé de songer à cette éventualité, les flics venaient me chercher à mon tour un matin à l'aube pour me cuisiner puis m'expédier au tribunal y recevoir notification de mon bannissement à vie. J'avais mon arme de service, je mettais le canon dans ma bouche, je faisais ça dans mon propre bureau pour tout saloper et être sûr de les embêter une dernière fois.

Quelle solution ? De quoi parlait-il ?

Avais-je déjà entendu parler de la Péninsule ?

Il me fallut un temps de réflexion pour comprendre de quoi il parlait. Je me souvenais, bien sûr.

Si j'étais à ta place, c'est là que j'irais me cacher. Ils n'iront jamais te chercher jusque-là. Il ajouta à voix basse, en détournant le regard, Tu resteras là le temps de te faire oublier, que les choses se calment.

Cela se passait il y a une quinzaine d'années, pendant un mois on n'avait parlé que de ça, de cette lointaine presqu'île dévastée par une catastrophe nucléaire. J'en connaissais davantage sur ces événements que le commun des mortels car à l'époque j'avais forcément accès aux données brutes, étant de ceux qui les formataient. Au département des Études, les infos en temps réel déferlaient jour et nuit, il fallait faire un tri pour présenter au public l'incident sous un jour rassurant, Nous avons la situation bien en main, ne vous en faites pas, braves gens. En vérité, c'était le chaos. Les centrales de la région étaient anciennes et mal entretenues. Un tremblement de terre à peine plus important que les précédents avait provoqué un glissement de terrain et déstabilisé deux réacteurs, ceux-ci s'étaient fissurés. Les deux répliques suivantes avaient tout accéléré. Ce fut un tel désastre que l'on baptisa l'incident d'un nom jadis inventé sur la côte de la Californie, le Big One. En revanche, firent savoir les autorités, le plan d'urgence avait fonctionné de manière impeccable, les populations avaient été évacuées, on avait circonscrit l'incendie, isolé le cœur des réacteurs, tout s'était passé dans l'ordre.

La vérité était autre, les responsables avaient pour des raisons économiques fait le choix de laisser la catastrophe aller à son terme. Les travaux de décontamination auraient coûté des sommes vertigineuses, il aurait fallu déplacer des millions de tonnes de béton, enfouir les matières fissiles dans des fosses profondes de plusieurs centaines de mètres, raser tous les bâtiments dans un périmètre de dix kilomètres, racler le sol en profondeur. Cela coûterait infiniment moins cher de clôturer la presqu'île et de la déclarer zone interdite. Il y eut encore quelques tentatives de colmatage et de refroidissement des réacteurs pendant que s'achevait l'évacuation de la population, environ deux cent mille personnes, puis les autorités lancèrent un dernier ultimatum : tous les habitants devaient se faire connaître dans les quarante-huit heures, faute de quoi ils seraient abandonnés dans la zone d'exclusion. On traça d'est en ouest une ligne droite, une vingtaine de kilomètres au sud de la centrale en fusion, puis une frontière laser infranchissable se referma sur la presqu'île, on ne pouvait plus la quitter ni par voie de terre ni par voie de mer. En deçà de la frontière le sol fut rasé, décontaminé et bétonné de nouveau sur une largeur de deux cents mètres, cela faisait une zone tampon facile à surveiller. À l'intérieur plus rien, le grand noir, les lignes à haute tension et les relais de transmission avaient été neutralisés, il n'y avait plus ni eau courante ni électricité. La région avait également disparu des cartes Web et des écrans radar, seules les images captées par les satellites d'observation secret-défense témoignaient encore de son existence.

Et connais-tu le meilleur de cette histoire ? me demanda Troubetskoï. Non, je ne connaissais pas le meilleur de cette histoire. Eh bien, une quinzaine d'années après les faits, plusieurs milliers de personnes continuent de vivre dans la Péninsule, vingt mille, trente mille, je ne sais pas. Faute de moyens de communication, on n'a pas le détail ni les données statistiques.

Lors de l'évacuation forcée, beaucoup d'habitants avaient refusé de quitter les lieux et s'étaient cachés. Dix-huit mois plus tard, les inspecteurs signalaient l'existence d'une population locale qui commençait à prendre forme, bien que les fuites de matière radioactive eussent à peine diminué. Encore quatre ans de plus et les survivants semblaient encore plus nombreux, malgré l'épidémie de maladies bizarres, de cancers de la thyroïde ou de la peau. Beaucoup de gens mouraient, mais les décès étaient largement compensés par l'arrivée de nouveaux arrivants infiltrés malgré les barrages. Le bouclage de la zone était hermétique, mais dans un seul sens. On n'en ressortait pas, mais il était relativement facile d'y pénétrer en soudoyant les inspecteurs de la Commission pour qu'ils acceptent de cacher des réfugiés à bord de leurs camions, les gardes-frontières pour qu'ils ferment les yeux ; il y avait des filières plus artisanales, moins chères et plus risquées avec des passeurs qui acceptaient de vous arranger ça à vil prix, mais parfois vous égorgeaient pour trouver des pièces d'or cousues dans vos vêtements. La Sécurité était au courant et laissait faire, pourquoi se serait-elle intéressée à des malheureux qui allaient eux-mêmes se jeter dans la gueule du loup ?

Je ne sais pas dans quelles conditions survivent ces gens, ce qu'ils mangent et quelle est leur espérance de vie, mais ils existent. Quelques hommes que j'ai autrefois fréquentés sont passés dans la Péninsule et y sont restés. Je sais que l'un d'entre eux est toujours de ce monde.

Comment pouvait-il le savoir puisque les moyens de transmission avaient disparu ?

Il le savait. Des inspecteurs entraient et sortaient de la Péninsule, ils en rapportaient parfois des messages.

Il me parla de ce très vieil ami, un réfugié de longue date qui avait réussi à se forger là-bas une situation enviable, en tout cas il ne se plaignait de rien et paraissait en bonne santé. Oncle Ho est un frère de sang, je lui ai un jour sauvé la vie, expliqua Anatoli, il s'est engagé sur l'honneur à s'acquitter de sa dette le jour où j'aurais besoin de lui, va le voir de ma part, il te traitera en ami, après quoi tu verras. Il ajouta pour la forme, comme on le fait pour consoler les malades en fin de vie, On dit que personne n'est plus jamais ressorti vivant de là-bas, mais je n'en ai pas la preuve.

2

Anatoli était formel, la Commission de contrôle ne m'enverrait pas de convocation avant plusieurs jours, vu l'habituelle accumulation des dossiers en souffrance. Au sein des Organes on n'avait jamais besoin de travailler dans l'urgence. Les suspects ne risquaient pas d'aller bien loin, car ils n'avaient nul endroit où aller sauf à s'embarquer sur un radeau de fortune et à se laisser dériver jusqu'à voir miraculeusement apparaître une île déserte pourvue en eau potable, en gibier, en fruits et légumes. Ils se morfondaient chez eux en guettant les bruits de bottes et le coup de sonnette de cinq heures du matin, grillaient trois paquets de cigarettes. Nos services pouvaient tranquillement inscrire une arrestation sur le planning deux semaines à l'avance avec la certitude de trouver à l'heure dite leur client prêt pour la route, baluchon à la main, sucre, chocolat et linge de rechange. Même en supposant que mon arrestation ait été officiellement décidée, il se passerait plusieurs jours avant qu'elle soit mise à exécution. J'avais largement soixante-douze heures devant moi pour organiser mon exfiltration.

Les deux jours suivants, pour ne pas éveiller les soupçons, je fis acte de présence au bureau comme si de rien n'était, la mine presque insouciante. À vrai dire, ce que je venais d'apprendre me délivrait d'un poids, jusque-là je me rongeais les sangs en attendant le signal de la fin qui ne venait jamais, désormais la chute était programmée, il ne pouvait plus rien m'arriver de pire.

Troubetskoï m'avait prodigué ses conseils, transmis verbalement ma feuille de route et le nom des deux contacts qui sur place étaient avertis de ma venue. Tu as le temps, mais ne traîne pas trop tout de même, m'avait-il dit. Pour la blague nous nous étions salués poing contre poing, comme les vrais sportifs, pour éviter les effusions, Ne me remercie pas, avait-il ironisé, je fais ça pour moi, je n'ai pas intérêt à ce qu'ils t'attrapent, imagine ce que tu pourrais balancer sur mon compte s'ils te cuisinaient ! J'eus un pincement au cœur tout de même, il venait de risquer gros en acceptant de rencontrer un quasi-fugitif, on en rayait des listes de la Nomenclature pour moins que cela, et puis c'était la dernière fois que je le voyais, ma dernière conversation normale avec un citoyen normal.

J'attendis le vendredi soir pour engager l'opération, les équipes réduites du week-end ne comptaient que des vieux au bord de la retraite et des surnuméraires. On assurait la permanence, sans plus. J'aurais deux jours supplémentaires avant qu'ils s'avisent de mon absence.

En toute fin d'après-midi je franchis le pas. Les secrétaires étaient parties, l'étage était pratiquement vide. Je me rendis à la salle des liquidités. Il n'y avait personne. Les coffres les plus importants, ceux qui recelaient de fortes réserves de devises ou de lingots, ou qui abritaient des documents sensibles, étaient inviolables, on n'y accédait qu'avec une double clé, personne ne pouvait les ouvrir sans la présence d'un supérieur. En revanche, la caisse réservée aux petites opérations ne posait pas de problème, les sommes concernées restaient modestes. Passé les heures de bureau, ma clé nominative suffisait à débloquer le verrou du coffre, un voyant rouge se mit à clignoter, je n'avais plus qu'à entrer mon code. Certes l'opération apparaissait automatiquement sur les écrans de contrôle, on signalait que l'agent n° BX*** (mon numéro personnel) était en train de procéder à un retrait d'espèces au dix-septième étage. Un agent de permanence plus curieux que les autres n'avait qu'à appuyer sur un bouton pour obtenir les images de la salle des liquidités et du capitaine Jimmy Durante à l'œuvre. Mais un retrait de fonds de ce genre était une opération de routine qui n'attirait pas l'attention.

Dans le coffre je ramassai vingt-deux mille UC[1] en coupures diverses. Avec le cash que je gardais à la maison, j'arrivais à près de trente mille UC, de quoi payer divers pots-de-vin et assurer les dépenses courantes pour quelques mois ou quelques semaines.

Le plan mis au point avec Anatoli était relativement simple. Pour parvenir à l'intérieur de la Péninsule, j'allais me rendre en un lieu précis touchant la frontière laser, une quinzaine de kilomètres à l'intérieur des terres. C'était un point de passage discret et sûr, une ancienne exploitation agricole située sur la ligne de démarcation. Son propriétaire avait creusé à partir des anciennes caves un souterrain assez large pour y faire passer de petits véhicules de transport. Du côté libre, une cache donnait accès au souterrain qui, à l'autre extrémité, quatre cents mètres plus loin, ressortait en pleine zone interdite.

Je disposais encore de mes papiers officiels, du laissez-passer, du badge des Organes. En principe mon signalement n'avait pas encore été transmis aux gares et aux aéroports. Anatoli avait eu cette idée fantaisiste de me conseiller le train de la côte, une ligne touristique empruntée par les familles de grands bourgeois et d'apparatchiks pour les virées du week-end, les contrôles y étaient rarissimes. Le train, l'un des plus anciens et des plus lents de sa catégorie, partait de la gare NNO

---

1. Unité de compte, la monnaie courante.

(nord-nord-ouest). Il mettait deux heures pour atteindre la mer, quatre cents kilomètres plus loin, après quoi il longeait la côte en faisant une halte à chaque station balnéaire importante. Je devais aller jusqu'à Gosford, terminus de la ligne, un dénommé Mario m'attendrait à la sortie de la gare et me conduirait en ULMH au point de passage en question. Mille UC au départ, mille UC à l'arrivée, de l'autre côté de la frontière. Mario était de mèche avec un certain Popovici, le propriétaire de l'exploitation frontalière, les deux hommes étaient fiables, ils avaient un business lucratif et n'avaient pas intérêt à abuser de leurs clients s'ils voulaient que ça continue. Le service des douanes, qui était au courant et touchait son pourcentage, tolérait ce trafic dans la mesure où il restait discret et artisanal. Mario acceptait en contrepartie de fournir à la police des renseignements sur des fugitifs particulièrement recherchés, mais c'était exceptionnel, car on se souciait peu de voir s'échapper dans la zone d'exclusion des individus qui allaient y mourir à brève échéance sans rien demander à personne ni coûter un sou à l'État. En revanche les deux passeurs n'auraient jamais pris le risque d'en faire sortir qui que ce fût, même pour vingt ou cent mille UC, et c'était là le principal.

Je n'avais pas mis les pieds à la gare NNO depuis une éternité. Je retrouvai avec une certaine émotion le charme désuet du hall n° 1 d'où partaient les lignes réservées. Les halls n° 2 et n° 3, qui desservaient les lignes ordinaires, avaient des entrées séparées, les voyageurs des lignes réservées ne côtoyaient jamais la foule harassée des autres usagers, banlieusards ou gens venus de la Plaine. Ici régnait un entre-soi discret et raffiné, il flottait un air de vacances, car c'était la gare des départs en villégiature. Les voyageurs arrivés en avance avaient la possibilité de manger sur le pouce ou de boire une coupe de champagne à une paisible terrasse décorée d'une luxuriante végétation. On y côtoyait des couples élégants et discrets, des familles avec de jeunes enfants aux manières irréprochables, les conversations étaient délicieusement feutrées. Tous ces gens avaient réservé pour le week-end dans un vieux palace de bord de mer ou allaient retrouver leur résidence secondaire. Beaucoup se connaissaient et échangeaient de muettes salutations à distance, jamais le vieux monde n'avait paru si rassurant et raffiné. J'étais moi-même arrivé bien avant l'heure, j'avisai une table libre en terrasse et commandai du caviar et de la vodka.

En d'autres temps, j'aurais prévenu le chef de notre antenne locale de ma présence, il se serait empressé de m'attribuer une place de choix dans un wagon à l'étage. Mais cela pouvait *leur* laisser le temps de procéder à une vérification de routine, laquelle aurait été fatale si par extraordinaire l'avis de recherche avait déjà été lancé. Le risque était minime, mais à quoi bon ? Je me présenterais au contrôleur principal à la dernière minute, ces gens détestent les agents des Organes et leurs privilèges, il maugréerait, me donnerait une mauvaise place, ou pas de place du tout, je m'installerais au bar, et voilà tout.

Comme prévu, le contrôleur m'indiqua un siège à l'étage inférieur, dans une voiture occupée par une équipe masculine junior de beach-volley, des enfants gâtés de la Nomenclature, bruyants et grossiers. Je remontai en direction du wagon-restaurant. On venait manifestement de le décorer à l'ancienne, avec des boiseries, des cuivres, une glace murale derrière le comptoir, des nappes aux tables avec des services en argenterie.

Il n'y avait pas encore beaucoup de monde, je pris place à une table de quatre. Le train prit de la vitesse et s'enfonça silencieusement dans la banlieue. Puis le tissu urbain s'étira à vue d'œil, laissant place à des terres agricoles parsemées de villages, de bourgs et de mas. Même routiniers, les voyages en train m'avaient toujours procuré un petit frisson d'excitation le jour, une légère poussée d'angoisse la nuit.

Cela vous dérangerait-il, monsieur, d'accepter ces dames à votre table ?

C'était le maître d'hôtel. En quelques minutes le bar s'était rempli et il ne restait plus aucune table de libre. Je m'empressai de répondre par l'affirmative. Une belle bourgeoise à la taille élancée, comme surgie d'un tableau de James Whistler, visage classique à peine maquillé, prit place en face de moi avec sa fille, celle-ci pouvait avoir douze ans et donnait l'impression de s'être habillée pour aller disputer un match de tennis en 1920. Elles commandèrent deux tisanes avec de petits gâteaux secs. Nous échangeâmes des sourires polis et je retournai à ma contemplation mélancolique du paysage. La mère de famille sortit de son silence pour me demander si c'était la première fois que je prenais ce train depuis qu'ils l'avaient si joliment rénové, On se croirait revenu à l'époque des trains à vapeur. Je lui dis que je n'en étais pas sûr, mais que c'était peut-être le cas. C'est dommage pour vous que la nuit tombe, car le paysage est fort joli jusqu'à la côte. Je suppose qu'elle se demandait ce que pouvait faire dans la vie et dans ce wagon-restaurant de luxe ce grand maigre à la mine d'adolescent vieilli et à la coiffure négligée, vêtu d'un imperméable de marque fripé. J'aurais pu être un pauvre précepteur, employé par une riche famille pour aller dans une maison de campagne donner des leçons particulières de mathématiques ou de philosophie à un fils aîné particulièrement obtus en vue d'un concours d'entrée à une classe préparatoire. Elle s'abstint d'aborder le sujet et se contenta de me demander quelle était ma destination. J'étais sur le point de lui répondre que j'allais jusqu'au terminus, mais je ne sais pourquoi, j'eus le sentiment que le nom de Gosford avait quelque chose de louche, alors je mentionnai la gare de Charlotte, l'avant-dernier arrêt.

Ah oui, dit-elle, je suppose que vous descendez au Dolce Vita, tout le monde y va cette année, il paraît que c'est très joyeux. Je répondis prudemment que c'était la première fois et que je me réjouissais de découvrir tout cela. C'est pour le week-end ? demanda-t-elle. Oui, c'était pour le week-end. Elle-même allait rejoindre pour de courtes vacances le reste de sa famille, son mari et ses deux garçons, dans leur résidence d'été. C'est à côté d'Old Port, dit-elle, vous connaissez Old Port ? Non ? Vous devriez venir voir, il n'y a ni palace ni casino, c'est un vieux port de pêche resté quasiment en l'état, on n'y croise que des habitués, tout le monde se connaît. Elle ajouta avec un sourire entendu, On y est vraiment entre nous, les nouveaux riches ne viennent pas là, ils ne savent même pas que ça existe. Un ange passa. Les nouveaux riches, cela voulait dire les Chinois. Elle devait ignorer qu'il ne fallait pas prononcer de tels mots, surtout pas en public. À ma place un collègue un peu zélé aurait déjà sorti son calepin, il aurait demandé, Vous avez dit « nouveaux riches », qu'entendez-vous par là, chère madame ? Il lui aurait demandé ses papiers, et elle aurait eu des ennuis. Si j'avais été au contraire pris d'un accès de compassion, je lui aurais justement conseillé à voix basse de rayer cette expression de son vocabulaire. Mais, dans ma situation, j'avais suffisamment de soucis personnels et chacun devait vivre sa vie. Une fois le train arrivé en bord de mer, il y avait encore trois arrêts avant Old Port. Les deux voyageuses prirent congé, la mère me souhaita un bon séjour, et elles disparurent de ma vue dans un léger mouvement de lin, de soie et de coton pastel.

Le train omnibus poursuivit son périple à petite vitesse en longeant le bord de mer. Par moments la perspective était masquée par des constructions récentes. Peu avant d'entrer en gare de Neubourg, la vue se dégagea et j'aperçus de l'autre côté d'un estuaire une station balnéaire dont j'ignorais le nom et qui devait être extrêmement bien fréquentée, à en juger par la somptuosité architecturale du front de mer, les façades puissamment éclairées de grands hôtels.

À chaque arrêt, la foule des passagers était toujours plus clairsemée, et nous n'étions plus qu'une poignée lorsque le chef de train annonça le terminus. Gosford était elle aussi une ville de bord de mer, mais sombre, besogneuse et à moitié démolie. Quelques rares villas à l'ancienne avaient survécu, entourées de terrains vagues, de hideuses constructions récentes et de chantiers à l'arrêt. La proximité immédiate de la ligne de démarcation et d'une inquiétante zone irradiée ne devait pas arranger les affaires de la ville ni sa réputation de station balnéaire.

À la faveur d'un virage, je vis que notre train s'enfonçait lentement dans un cul-de-sac obscur qui tenait lieu de gare. La ligne de chemin de fer, qui auparavant devait continuer jusqu'au bout de la presqu'île, semblait avoir été purement et simplement coupée, on avait dû compléter le dispositif en y ajoutant des butoirs, édifier un hangar de béton et accrocher comme on pouvait le panneau GOSFORD-TERMINUS sur la devanture. Le convoi s'immobilisa définitivement, j'actionnai l'ouverture de la portière. En passant la tête à l'extérieur, j'eus un moment d'effroi. Le quai grouillait de policiers en uniforme, bottés et casqués, ils étaient au moins une douzaine et attendaient notre train. Il y avait contrôle. Anatoli ne m'avait jamais parlé de cette éventualité, peut-être n'était-il au courant de rien. Avec un peu de chance, il s'agissait d'un simple déploiement de routine, sans but particulier. D'ailleurs je voyais à leur tenue qu'ils appartenaient à la police territoriale, et non aux Organes, ce qui était *a priori* moins inquiétant. On ne confierait jamais d'opération sensible à la Territoriale, et mon passeport A me dispenserait de toute vérification supplémentaire, on ne passerait même pas le document au scanner. Les passagers descendirent du train, nous n'étions plus qu'une trentaine. Je jetai un regard discret sur les autres voyageurs. Difficile de savoir lesquels étaient des gens du coin rentrant chez eux ou des professionnels venus pour affaires, lesquels étaient des fugitifs. Certains avaient des tenues de ville et d'autres le style bouseux, certains avaient des bagages imposants, d'autres un sac de voyage à peine. Les issues ayant été condamnées, nous étions canalisés vers l'unique accès du hall de gare, entre deux haies de policiers. Mes compagnons marchaient tête baissée en fixant un point imaginaire dans le vide, personne ne soufflait mot, peut-être y avait-il des suspects dans le groupe, peut-être pas, tous adoptaient le comportement standard de citoyens normaux poussés en direction d'un contrôle de police. J'avais avec moi un sac de voyage, mais aussi une grosse valise, je me demandai soudain si elle n'attirerait pas l'attention, pourquoi donc un officier des Organes en mission de trois jours traînait-il la moitié de sa garde-robe avec lui ? Aucun autre passager n'était aussi lourdement chargé. Le temps d'un éclair, la séquence entière défila dans ma tête à une vitesse folle. Le flic me demande ce que je viens faire dans la région, Une mission spéciale de quelques jours dites-vous, bien, veuillez me donner votre passeport, une petite vérification et je reviens. Le policier en uniforme disparaît dans le bureau, il doit être en train de téléphoner. Un ordre de mission pour le capitaine Durante ? Certainement pas. Durante, Durante, Durante, tiens justement j'ai ici à son nom un avis de recherche sur la liste. Je m'étais placé à peu près au milieu de la file d'attente, ça n'avançait pas, les formalités de contrôle étaient interminables. Parfois le gradé laissait passer trois voyageurs d'un seul coup, après avoir jeté un coup d'œil distrait sur leurs papiers, il devait les connaître, des habitants de la région. Parfois l'examen se prolongeait, l'officier tenait le passeport à la main et fixait son propriétaire d'un air soupçonneux, sans dire mot, puis il feuilletait le document, une page après l'autre. L'interrogatoire reprenait. Lorsque le résultat était satisfaisant, le passeport était rendu, le voyageur filait droit vers la sortie en évitant de laisser voir son soulagement. Parfois ça coinçait, il y avait des conciliabules entre gradés, un supérieur était appelé en renfort, puis le citoyen était convié avec courtoisie et fermeté dans un bureau à l'écart pour *clarification*. Nous étions un samedi soir, j'avais affaire à des policiers de la Territoriale forcément impressionnés par un officier des Organes, l'avis de recherche ne POUVAIT PAS avoir été déjà lancé, et si jamais ces gens avaient des soupçons, ils ne sauraient même pas à qui téléphoner pour les vérifications nécessaires. Décidément l'attente était interminable, je choisis de me présenter au responsable, après tout c'est ainsi que devait normalement se comporter face à de simples policiers locaux un capitaine affecté au département des Études, division relevant directement du cabinet du ministre de la Sécurité. Je sortis du rang et me dirigeai vers l'officier avec le plus grand naturel, me plantai devant lui en exhibant sans un mot mon badge prioritaire. Il me jeta un regard hostile, lui non plus ne devait pas aimer les Organes, Je suis en mission, lieutenant, et je crois qu'on m'attend, dis-je avec autant d'amabilité que possible. Passeport, dit-il d'un ton désagréable. Il feuilleta le document, fit mine de s'arrêter sur un détail et compara la photo d'identité avec le modèle original, il faisait durer le plaisir. Puis avec un geste désinvolte, comme à regret, il grogna, Ça va, vous pouvez y aller.

Mario devait m'attendre à la sortie de la gare, il avait mon signalement. Mais les contrôles avaient pris du temps et j'avais une heure de retard sur l'horaire prévu. Une fois à l'extérieur, je ne vis d'abord dans l'obscurité qu'un terrain vague et des constructions informes. Après dix minutes, pour éviter d'avoir recours au biper, je donnai un coup de sifflet comme convenu. Après un moment, je le vis sortir de la pénombre et se diriger sur moi, Je me demandais si vous aviez changé d'avis ou si vous étiez retenu par les flics, dit-il, j'en ai rarement vu autant pour une opération de filtrage. À croire qu'ils cherchaient quelque chose ou quelqu'un en particulier. – C'est souvent comme ça ? – Ils font ça deux ou trois fois par mois, normalement ils coffrent quelques individus et puis repartent, ça ne dure pas longtemps. Ils veulent maintenir la pression, rien de plus. Allons-y, Popovici doit se demander ce qui nous arrive.

Nous marchâmes vers la sortie du bourg. Mario s'arrêta devant un portail qui s'ouvrait sur une vaste cour intérieure, le taxi-ULMH nous attendait. C'était un petit hélico à deux places, pas très rapide, conçu pour les courtes distances et que je n'avais jamais vu de près, il était interdit dans les grandes villes. On en a pour une demi-heure, annonça Mario après avoir encaissé la première moitié de la prime, c'est une vieille bécane poussive qui doit dater de la guerre de Crimée. L'appareil volait à basse altitude, presque en rase-mottes, de manière à éviter à tout hasard les contrôles radar automatiques. Nous arrivâmes en vue d'un no man's land d'où avaient disparu toute habitation et toute trace de végétation. J'aperçus seulement de gigantesques panneaux clignotants portant l'habituelle tête de mort marquée d'une croix rouge et d'avertissements en lettres géantes : STOP ! ALT ! PERICOLO DI MORTE ! VERBOTEN ! etc. Mario me montra du doigt ce qui devait être le tracé du barrage laser, amorça un lent virage sur la gauche et se posa devant de grands bâtiments de ferme. Malgré les avertissements, me dit-il en coupant le contact, des fuyards ont longtemps refusé de croire au danger et ont tenté de franchir les barrages, d'autant plus que ceux-ci sont dématérialisés, et clac ! ils se sont retrouvés instantanément grillés comme dans ces pièges à insectes l'été, vous savez. D'autres ont tenté de sauter par-dessus l'obstacle en ULMH, ils ignoraient que les barrages montent à cinquante mètres, et clac ! comme des insectes !

Nous étions encore à distance du premier bâtiment de ferme. Grâce au clignotement des panneaux à tête de mort, on y voyait un peu. Mario trouvait son chemin sans difficulté. Nous arrivâmes à un puits de grande dimension dissimulé sous des branchages, il suffisait de soulever le couvercle de la margelle pour y pénétrer. Mario fit une pause, sortit un biper de sa poche et envoya un signal auquel répondirent deux brefs signaux à la tonalité aiguë. Ça va, on peut y aller. Une fois à l'intérieur, on descendit de quelques mètres par une échelle et on se trouva face à un large tunnel à l'horizontale. À la sortie nous attendait Popovici. Il encaissa les mille UC en grommelant que la prochaine fois ce serait mille cinq cents, les gars de la douane devenaient toujours plus gourmands. Mario hocha la tête, me serra la main et d'une voix atone me souhaita bonne chance. De l'autre côté de la ferme, c'était la nuit noire. Popovici pointa du doigt droit devant lui, On vous attend là-bas, dit-il, à deux cents mètres. Il envoya deux signaux lumineux et j'aperçus en retour deux puissants appels de phare, Ils sont là, allez-y, c'est tout droit.

À bord d'un véhicule militaire sans âge, deux hommes en treillis m'attendaient. Capitaine Jimmy Durante, dit celui qui devait être le chef, l'Oncle Ho a été prévenu de votre arrivée et vous attend aux Mouettes.

C'était un homme encore jeune, peu bavard mais stylé, il me donnait maintenant du monsieur et se prénommait Évariste. Il semblait connaître parfaitement la route, anticipait avec assurance les bifurcations et les changements de direction malgré l'obscurité absolue aggravée par l'absence de lune. Pour gagner du temps, il avait choisi de passer par ce qu'on appelait les « herbes hautes ». On avait donné ce nom à certaines terres de l'intérieur, les grands incendies de l'époque avaient d'abord éliminé toute trace de végétation, le sol était calciné sur des kilomètres (d'où le nom par ailleurs utilisé de « terres noires »), on croyait que plus rien ne pousserait jamais, et puis ce fut le contraire, les bambous firent leur apparition et se propagèrent à une vitesse encore jamais vue, et bientôt ils formèrent ici ou là de façon anarchique des massifs compacts où l'on ne pouvait pénétrer qu'à la machette. C'était bien pour chasser le gibier. Des vagabonds y installaient des campements, il fallait être prudent.

Évariste roulait lentement pour éviter les crevasses, mais aussi parce qu'il craignait le surgissement d'un sanglier ou de loups attirés par les feux de la voiture. Une faune avait donc survécu à la catastrophe nucléaire ? Survécu ? Vous voulez dire « pullulé », cher monsieur, les loups et les sangliers se sont reproduits autant que les lapins, ce n'est pas peu dire, de même que les grenouilles dans les étangs, mais aussi les serpents venimeux, et on a vu apparaître des espèces jusque-là inconnues, à croire que la radioactivité n'a pas que des défauts, il y a des animaux qui deviennent luisants la nuit, et ça ne les empêche pas de se reproduire, croyez-moi ! – Cela ne donne pas parfois des animaux à deux têtes ? L'ironie échappa à mon compagnon de route, qui se contenta de démentir tranquillement l'hypothèse. Des animaux à deux têtes, il n'en avait jamais vu.

On roula encore une demi-heure entre ces deux massifs de végétation touffus qui soudain s'arrêtèrent pour laisser place à une terre complètement pelée et comme recouverte de suie, à des terrains vagues et à des habitations en ruine. Les incendies ont été très violents par ici et ont tout ravagé, dit Évariste, enfin violents, pas plus que dans les herbes hautes, mais ici rien n'a jamais repoussé, allez savoir pourquoi. C'est ça les « terres noires ». Tout était plongé dans l'obscurité à l'exception de lueurs vacillantes, un brasero discret, un squat, peut-être un campement de *sauvages*, Ils restent là quarante-huit heures puis s'en vont ailleurs, dit encore Évariste, on ne sait jamais avec eux, ils n'ont pas le droit de rester ici et encore moins de pénétrer en ville, alors ils rôdent. Le tissu urbain se resserrait, mais les immeubles n'avaient pas davantage échappé aux destructions, même quand leurs façades tenaient encore ils n'avaient plus ni toit ni fenêtres.

À l'extrémité d'une longue rue, enfin un barrage. Des hommes à nous, dit Évariste. De l'autre côté le secteur était sécurisé. L'homme qui montait la garde nous reconnut de loin et déplaça la herse pour ouvrir le passage. Évariste s'arrêta à sa hauteur, juste pour le saluer, Tout est O.K. ? Tout était parfaitement calme. Quelques dizaines de mètres plus loin, nous nous retrouvâmes sur un quai bordant un grand bassin rectangulaire. Au bout de la ligne droite, la masse sombre de l'hôtel des Mouettes. Son terrain était entièrement clôturé d'une haute grille métallique. Il fallait actionner une télécommande pour faire coulisser le large portail blindé. À l'intérieur il n'y avait aucun signe de vie apparente. Évariste arrêta la jeep sous la marquise et donna deux légers coups de klaxon pour signaler son arrivée. Au bout de quelques minutes, j'entendis qu'on s'affairait à l'intérieur, quelqu'un coulissait des panneaux blindés qui devaient servir à la protection du rez-de-chaussée. Une lumière tremblotante apparut, telle une lampe de mineur, portée au front par l'un des gardes en faction. J'ai laissé la jeep pour la ronde de minuit, laissa tomber Évariste, je suppose qu'il faut remettre le circuit en marche pour activer l'ascenseur, j'ai un visiteur pour le Commandant. Le collègue approuva de la tête et d'un grognement vague. Il disparut dans un local où devait se cacher le tableau électrique. Un vieux plafonnier jaunâtre et les voyants lumineux de l'ascenseur s'allumèrent.

Nous pénétrâmes dans la cabine et montâmes au huitième étage, où Évariste me conduisit à la chambre qui m'avait été assignée. Je posai ma valise et mon sac, Vous n'avez pas d'autres bagages ? Des vêtements un peu chauds, manteau, parka ? Bah, ce n'est pas grave, vous demanderez demain à la réserve, côté garde-robe, c'est une caverne d'Ali Baba, sinon il faudra attendre le jour du marché, en espérant que le vendeur de fringues sera là, mais on finit toujours par trouver son bonheur, si ce n'est la semaine prochaine, ce sera la suivante. Venez, le Commandant vous attend. Il ne se couche jamais avant trois heures du matin.

Il frappa à la porte, dut entendre une réponse au travers de la cloison, tourna la poignée et me précéda à l'intérieur de la chambre. L'Oncle Ho était installé à une table de travail, tournant le dos à la baie vitrée et à la mer. Deux lampes rechargeables posées à chaque extrémité de la table dispensaient une lumière suffisante pour la lecture, mais laissaient le reste de la pièce dans la pénombre. Je vous souhaite la bienvenue aux Mouettes, monsieur Durante, j'espère que vous avez fait bon voyage, dit-il d'une voix grave et un peu cérémonieuse. Anatoli Troubetskoï se porte garant de vous, cela vaut toutes les recommandations. Si j'en crois le mot qu'il m'a fait parvenir, vous avez des états de service impeccables dans les Organes, et je n'ai pas à m'inquiéter du genre intellectuel que vous vous donnez, enfin c'est ce qu'il dit, et il ajoute heureusement, Cela ne l'empêche pas d'être loyal et d'avoir du sens commun. J'ai besoin d'un vrai professionnel, capable de planifier, de noter, de résumer et de rédiger. Ariston Pitt est désormais trop vieux pour ce genre d'exercice, et les jeunes sont vraiment trop incultes. Donc vous tombez bien. À partir d'aujourd'hui vous serez mon directeur de cabinet, si cela vous convient. La solde n'est pas mirifique, mais, comme vous le constaterez, ce qui compte ici, c'est d'abord la sécurité, le vivre et le couvert, pour le reste on n'a pas de frais, vous savez, car il n'y a pas beaucoup d'occasions de dépenser.

II

HÔTEL DES MOUETTES

3

L'hôtel des Mouettes est une morne construction aux façades calcinées datant du siècle dernier, probablement du début des années 1970. L'établissement était destiné aux techniciens et aux ingénieurs du parc nucléaire, aux professionnels du port de Commerce, on n'avait donc pas fait dans la fioriture. Par mesure d'économie, on avait utilisé à l'époque, pour les revêtements extérieurs, de grandes plaques de béton préfabriquées, percées de fenêtres si étroites que la lumière du jour pénètre à peine aux étages inférieurs. Mais ceux-ci sont réservés aux locaux techniques, à l'entreposage de vivres et de matériel, aux salles de repos pour les hommes de la sécurité, seuls les trois plus hauts niveaux sont *bourgeoisement* habités. Certains sont encore plus privilégiés que d'autres. À titre de directeur de cabinet d'Oncle Ho, je me suis vu attribuer il y a deux ans et demi l'une des chambres du huitième et dernier étage, les seules à disposer de grandes baies vitrées. Elles surplombent côté sud un bassin du Commerce encombré d'épaves rouillées, et côté nord les ruines d'anciens bâtiments maritimes, une capitainerie, une criée, le siège de la douane ; on voit parfaitement la mer au loin. Quand l'horizon est dégagé, on distingue les îles Saxonnes, pourtant situées bien au-delà des barrages laser. Cela ne dure pas, le déluge arrive, les bordées de pluie viennent se fracasser bruyamment contre les fenêtres. Parfois une houle tourbillonnante pousse devant elle de gros nuages noirs en une sorte de mouvement perpétuel. Un jour sur deux le ciel est de plomb et plus rien ne bouge.

En raison de sa silhouette lugubre qui se voit de partout, notre hôtel a été surnommé le Bunker, et par certains plaisantins, Batman Palace. Qu'il soit hideux, tout le monde s'accorde là-dessus. Au rez-de-chaussée et au premier étage, l'empilement des sacs de sable, le lourd blindage des portes et des fenêtres ajoutent au caractère sinistre de l'ensemble. Mais une fois à l'intérieur on n'y pense plus, on se félicite au contraire de la solidité du bâtiment. Il est l'un des rares immeubles à avoir parfaitement résisté aux tremblements de terre et à l'usure du temps, il n'a pas bougé sur ses fondations, pas de fissures sérieuses ni le moindre signe d'affaissement, aucun problème structurel. Les deux ascenseurs n'ont jamais cessé de fonctionner, ils sont bruyants et rudimentaires, mais indestructibles et faciles à entretenir. Il leur faut un peu d'électricité, tout au plus, et nous n'en avons jamais manqué, même s'il faut la rationner. Les éoliennes de mer nous garantissent le minimum vital (pompes à eau, protocoles de sécurité), en cas d'urgence ou par temps froid nous avons recours au groupe électrogène, mais avec parcimonie car il faut économiser le pétrole. Nous avons, creusée en sous-sol à je ne sais quelle époque, une citerne d'eau potable dont les ressources paraissent illimitées. Pour soutenir un siège, répète le Commandant, le plus important c'est l'eau, mettez-vous bien ça dans la tête, le reste n'est que détails.

Le Commandant, alias Oncle Ho, est un fin stratège. Grâce à lui, nous avons l'une des résidences les plus sûres de la Péninsule, au cœur d'un secteur lui-même assez bien sécurisé. Même si par extraordinaire une bande armée infiltrée en ville parvenait jusque sous nos murs, cela ne lui servirait à rien. Le bâtiment est entouré d'un no man's land simple et efficace, on allumerait les projecteurs et les assaillants n'auraient aucun endroit où se cacher, on les abattrait comme à la foire. Personne n'a jamais osé s'attaquer à l'hôtel des Mouettes.

Un mot d'explication. Dans le jargon officiel, l'hôtel des Mouettes est un *pôle*, il porte le numéro 1 vu son ancienneté, abrite de cinquante à soixante-dix habitants selon les saisons, les afflux de réfugiés et la mortalité. De l'autre côté du bassin du Commerce, à peu près à la même hauteur, lui fait pendant le pôle des Mimosas (dit « pôle n° 2 »), un gros immeuble d'habitation qui a lui aussi survécu aux dévastations, il peut abriter jusqu'à une centaine de personnes. Du même côté, sur la droite, face au pont tournant, on trouve le pôle n° 3, un ancien bâtiment officiel logeant une cinquantaine de résidants permanents, mais qui accueille aussi pour de courtes périodes, dans deux salles communes, des réfugiés fraîchement débarqués, des chômeurs sérieux qui cherchent vraiment du travail. Les trois pôles forment le *secteur* dit des Mouettes, il est dirigé par un comité tripartite chargé de coordonner les politiques de sécurité. Le secteur englobe la promenade de bord de mer, le bassin, les quais et les rues de l'intérieur sur une profondeur de cent mètres. Il est délimité par une enceinte en patchwork, fenêtres d'immeuble obturées, voies fermées par des murs de brique hauts de trois mètres. Chacun des trois pôles a la responsabilité d'un checkpoint. On y déploie des herses, des rangées de barbelés, des chicanes mobiles, rien qui soit de nature à arrêter des assaillants prêts à tout, mais on recherche surtout l'effet psychologique. Sur l'autre versant de la « frontière », des inscriptions géantes annoncent :

TOUTE PERSONNE PÉNÉTRANT SANS AUTORISATION
DANS LE SECTEUR DES MOUETTES
POURRA ÊTRE ABATTUE SANS SOMMATION

Ces mesures de dissuasion suffisent à tenir à distance les vagabonds et les *sauvages* pendant la journée. Quand ils tentent de passer en bande, même la nuit, ils se font vite repérer et ne vont pas loin. Des individus isolés réussissent parfois à s'infiltrer, mais pour quoi faire ? Ils se contentent de trouver une planque et de chercher de la nourriture, ils n'ont pas d'armes et ne menacent personne, parfois ils se laissent mourir au fond d'une cave. Les plus dangereux sont les forcenés à qui la mort est devenue indifférente, ils se jettent sur vous sans raison, on est forcé de les abattre à vue. Ce genre d'incident mis à part, le secteur des Mouettes ressemble le jour à un quartier portuaire presque normal. De petits bateaux reviennent à quai l'après-midi pour vendre leur pêche. De chaque côté du bassin, des commerçants ouvrent leurs échoppes à heures à peu près régulières, ils proposent des produits artisanaux et des bijoux, du vin et des spiritueux, d'autres ont installé quelques tables, servent du poisson frais et des fruits de mer avec du vin blanc. Quand il ne fait pas mauvais temps, même les vieux des Mouettes ou des Mimosas en profitent pour sortir de leur tanière et respirer l'air frais, ils viennent casser la croûte en bordure de bassin et se donnent rendez-vous pour l'apéritif sur les planches de l'ancien *boardwalk*. La plupart des commerçants logent en ville, ils dorment barricadés dans leur local ou à proximité immédiate. Dès que le soleil commence à tomber, ils rassemblent leur matériel, produits frais, marchandises en tout genre, tables et chaises dans une pièce de plain-pied qui dispose de protections inviolables, portes blindées, doubles barres de métal lourdement cadenassées. Eux-mêmes s'enferment pour la nuit dans le secret de ces intérieurs aux fenêtres occultées. Sur les quais, tout signe de vie disparaît jusqu'au lendemain matin. Si malgré tout des pillards franchissent le mur d'enceinte, ils se retrouvent dans le vide, les devantures des commerces résistent aux coups de hache ou de masse, eux-mêmes ne savent à qui s'attaquer, leur seule chance consisterait à tomber sur un couple d'amoureux étourdis, sortis sans véhicule ni escorte, sous prétexte que le trajet à faire était court et réputé sans danger. S'ils ont encore un peu plus de chance, la femme aura sur elle des bijoux de prix et l'homme une liasse de billets, mais des faits divers de ce genre il n'y en a pas deux par année.

Depuis ma chambre du huitième étage, au milieu de la nuit, j'entends parfois dans le lointain des crissements de pneus, des ordres aboyés, des rafales d'arme automatique, encore un peu de confusion, puis le ronflement puissant et régulier de la mer et du vent. Toutes les deux heures aux Mouettes les hommes qui assurent le tour de garde communiquent en morse avec les hommes des Mimosas et ceux du pôle n° 3. Il y a un signal qui signifie : « O.K. ? – O.K. ! » Un autre veut dire : « Groupe non identifié aperçu à proximité » ; à quoi on répond : « Tenez-moi au courant. » Le troisième signal est un appel de détresse : « S.O.S. Venez. Urgent. » La seule évocation de cette routine me rassure quand je me réveille la nuit : je me récite dans l'ordre les étapes du protocole et je me rendors en paix ; parfois l'image de Valentina m'apparaît, cela se passe vers la fin, elle est adossée à la tête de lit face à la mer, son regard se perd dans le lointain.

Le dernier incident majeur, ce fut l'été dernier au pôle des Mimosas, considéré comme un maillon faible, absence de stratégie, discipline défaillante, alcoolisme endémique, patrouilles démoralisées. Appel de détresse à minuit et demi. Sur le flanc est, les pillards avaient bien tranquillement creusé une brèche dans le mur d'enceinte, ce n'était pas un grand exploit technique et le vacarme aurait dû alerter la sécurité. Les intrus étaient une bonne quinzaine et certains avaient des armes laser. Arrivés devant la résidence, ils avaient attiré deux vigiles à l'extérieur, en avaient tué un, blessé l'autre, mais celui-ci avait pu se réfugier à l'intérieur et donner l'alerte. Que cherchaient les brigands, on n'en savait rien, peut-être l'ignoraient-ils eux-mêmes, mais peut-être s'agissait-il d'un groupe mieux organisé que d'habitude, on ne pouvait pas prendre l'événement à la légère. Oncle Ho supervisa personnellement l'opération et me demanda de l'accompagner. Tous les miliciens des Mouettes et ceux du pôle n° 3 furent réquisitionnés, nous étions une vingtaine sur les lieux trois quarts d'heure plus tard. Les assaillants, en fait aussi désorganisés que d'habitude, s'étaient embusqués à proximité, il y avait des échanges de tir sporadiques avec les assiégés. Le Commandant donna ses instructions, il ne fallait surtout pas laisser s'échapper les énergumènes, mais en *neutraliser* un nombre suffisant pour que les rescapés, de retour chez eux, puissent raconter autour d'eux ce qui arrivait aux hooligans infiltrant le secteur. Nous avions positionné les véhicules et les hommes de manière à couper la retraite aux assaillants, mais autour du bâtiment il y avait quantité de recoins où se cacher. On sortit les chiens, les miliciens du pôle n° 2 firent enfin leur apparition et tout le monde participa aux recherches. Les opérations de nettoyage durèrent trois heures. Les vagabonds ne pouvaient pas être loin, ils devaient être encore là, terrés dans leurs cachettes. Rompus à ce genre d'exercice, nos miliciens les débusquèrent un à un, ils ne tentaient même pas de se défendre, ceux qui avaient une arme s'en débarrassaient avant d'essayer de s'enfuir. Ils étaient abattus avant d'avoir fait un pas. Un homme de la troupe nous tenait informés des événements, on avait déjà neutralisé cinq des bandits, on en tenait un autre. C'est bien, dit Oncle Ho, amenez-le-moi vivant. On traîna jusqu'à notre véhicule un grand gaillard qui semblait avoir dormi dans les mêmes vêtements et oublié de se raser depuis un mois, mais qui paraissait jeune et encore en bonne santé. On avait saisi sur lui une arme de poing d'un modèle ancien. Je vous donne une chance de rester en vie, dit tranquillement notre Commandant, vous allez demander à vos gars de se rendre et de jeter leur arme, en échange de quoi on vous laissera tous partir. Combien étiez-vous au départ ? L'homme se méfiait, mais finit par laisser tomber le chiffre, ils étaient quatorze. Combien d'armes ? Ils avaient huit pistolets en tout et pour tout. Ho avait eu du flair ou simplement de la chance, l'homme avait tous ses esprits et de l'autorité sur le reste de la bande. À son appel, les autres sortirent de leur cachette, mains en l'air. Ceux qui avaient une arme la tenaient à bout de bras par le canon. Le Commandant expliqua au grand barbu qu'ils avaient cinq minutes pour disparaître du secteur, mais que la prochaine fois, si prochaine fois il y avait, on tirerait à vue. L'autre hocha la tête. Il n'avait pas l'air d'un idiot. Ho lui demanda depuis combien de temps il était passé dans la Péninsule. Huit mois, répondit le barbu. Ho lui rendit son arme, Elle ne peut pas vraiment faire de mal, mais elle peut vous servir à vous défendre jusqu'à un certain point. Le vagabond le dévisagea longuement avec un air étonné, rangea le petit pistolet dans une poche intérieure contre sa poitrine et sembla le remercier sobrement, d'homme à homme.

Si je suis toujours en vie, c'est à Oncle Ho que je le dois. Oncle Ho, mon protecteur, notre protecteur à tous. Il règne sur les Mouettes depuis de longues années, la date et les circonstances de sa prise du pouvoir demeurent mystérieuses, certains disent qu'il était déjà là *au début,* qu'il a *toujours été là,* qu'il a *construit les Mouettes*, il détient le pouvoir absolu, attribue les places dans l'organigramme, tranche les litiges, dispose du droit de vie et de mort, ses jugements sont sans appel et ne sont d'ailleurs jamais contestés. De manière informelle, les autres chefs des vingt-trois pôles actuellement recensés dans la Péninsule lui reconnaissent le statut de *capo dei capi,* selon l'expression consacrée. C'est lui qui a la prérogative de convoquer, trois ou quatre fois par an, le comité central réunissant tous les chefs, et c'est lui qui préside la séance. On le consulte sur tous les grands sujets d'actualité, réorganisation des checkpoints officiels, partage équitable des livraisons de pétrole, meilleure coordination des équipes de sécurité. Il est le plus ancien, le vieux sage dont chacun écoute les avis. Oncle Ho ne s'appelle d'ailleurs pas Oncle Ho, c'est un surnom qu'on lui a donné vu sa ressemblance étonnante avec un célèbre potentat vietnamien du siècle dernier, bien que lui-même soit pour le moins à moitié chinois : il est sans âge, petit, très sec, délivre ses oracles d'une voix douce et grave, s'assied volontiers en tailleur quand il reçoit des visiteurs, porte une barbichette effilochée au bout du menton, fume de l'opium avec modération, et seulement le soir. À sa manière tranquillement impériale de commander on comprend que dans le passé il a été un personnage puissant, mais nul ne sait dans quelle contrée il aurait exercé ses pouvoirs, certains disent qu'il était ministre, d'autres qu'il a été président ou chef d'une mafia exotique. Personne ne sait avec certitude pourquoi ni dans quelles circonstances il a échoué ici. Le mystère de sa résistance à la radioactivité est entier et certains font courir le bruit qu'il est déjà centenaire. Il a une passion pour le jeu, en particulier le poker, et cette disposition d'esprit explique en partie la bienveillance qu'il me manifeste, étant donné mes talents dans ce domaine. Grâce à ce titre de directeur de cabinet dont j'ai parlé je dispose d'une chambre magnifique avec un grand lit en alcôve, d'un coin-salon et donc, luxe réservé au huitième étage côté nord, d'une vue sublime sur la baie des Tempêtes et sur le large. L'hôtel est bien approvisionné dans l'ensemble, on trouve des stocks illimités de musique numérisée, mais aussi de vieux livres, une cave à vin encore abondante et réservée aux notables, des fruits et légumes qui ont l'air normaux et qui ont généralement bon goût même s'ils sont forcément radioactifs, comme le sont le gibier, la viande, les poissons et l'eau de mer, comme nous le sommes tous plus ou moins nous-mêmes à force de marcher sur du césium 137 (à moins qu'il ne s'agisse de césium 135, période radioactive de deux millions d'années), d'en manger, d'en boire et d'en respirer. Nous disposons au septième d'un restaurant de bon niveau, il tourne à plein régime à l'heure du déjeuner grâce à la fréquentation assidue des couples âgés qui apprécient son animation bruyante et son menu tout compris, le soir les tarifs sont beaucoup plus élevés, les clients sont rares, mais le patron fait l'effort de toujours proposer un ou deux plats convenables. Les meilleurs produits de la contrebande nous arrivent régulièrement, nous sommes parmi les premiers servis dans la région. Pour améliorer l'ordinaire et pour se distraire, le président organise des parties de chasse à l'intérieur des terres, dans ces herbes hautes où la nature est si exubérante et touffue que certains vagabonds finissent par s'y perdre et tourner en rond jusqu'à la mort, on y trouve en quantité des lapins étrangement gros, des chevreuils, de petits cabris et divers animaux mutants, dont un curieux mouton sauvage qui a proliféré ces dernières années et dont la chair est particulièrement savoureuse. Si l'on n'a rien d'autre, on tue et on mange des sangliers. Des sangliers, il y en a toujours.

Il paraît que je peux m'estimer chanceux. Si je n'avais pas choisi de franchir la ligne de démarcation, il y a deux ans et demi, pour passer dans la très officielle *zone d'exclusion radioactive* (ZER), je serais mort d'une balle dans la tête, ou bien je survivrais dans les bas-fonds en me nourrissant d'ordures ménagères, ou alors, pire encore, je traînerais dans un camp de rééducation ou de travail (les deux peut-être) en attendant de mourir d'épuisement, sans avoir le courage de m'achever moi-même.

Une fois par semaine, généralement le jeudi à la faveur de leur tournée d'inspection, nos gars me déposent au Château, c'est-à-dire à ce qui en est resté après sa mise à sac, je vais m'asseoir sur un banc de pierre en bord de mer, en contrebas de l'ancienne villa. Là, juste devant, on trouve un rectangle soigneusement délimité, on voit que la terre a été retournée : c'est notre cimetière particulier, nous y enterrons nos morts. Sur des pierres tombales sommaires on a gravé les noms d'Archibald Cox et de Joe Rastoul, d'Ariston Pitt, de Mathilde Van Meegeren et de Valentina Ordjonikidze. Sur la tombe de cette dernière on a incrusté un petit médaillon ovale trouvé dans ses affaires, elle apparaît dans toute sa splendeur, un visage en longueur aux traits acérés et deux yeux dont on se demande s'ils ne sont pas anormalement rapprochés ou imperceptiblement asymétriques, ils semblent exprimer de ce fait une forme de perpétuel reproche ou d'étonnement, des yeux sombres qui vous dévisagent de manière inquisitoriale.

Je viens m'asseoir sur le banc, et je lis à voix haute. Valentina aimait que je lui fasse la lecture, surtout le soir quand tout dormait autour de nous. C'était une musicienne et une aventurière, elle avait de la fantaisie et une sensibilité d'artiste. Elle n'avait jamais pris le temps de lire, mais à m'écouter elle comprenait tout dès les premières pages si l'histoire et la musique des mots la captivaient. Elle aimait *Chez les heureux du monde*, d'Edith Wharton, et les nouvelles de Borges. Elle voulait toujours que je lui relise la chute d'*Adolphe*, de Benjamin Constant :

> Les circonstances sont bien peu de chose, le caractère est tout ; c'est en vain qu'on brise avec les objets et les êtres extérieurs, on ne saurait briser avec soi-même. On change de situation ; mais on transporte dans chacune le tourment dont on espérait se délivrer : et

comme on ne se corrige pas, en se déplaçant l'on se trouve seulement avoir ajouté des remords aux regrets et des fautes aux souffrances.

Adolphe la faisait pleurer, elle y voyait l'illustration même de la cruauté de la vie, de la sécheresse de cœur de l'homme et du malheur d'être femme. Mais elle aimait tout autant l'esprit sardonique de Borges, adorait *L'Imposteur invraisemblable Tom Castro* dont elle n'était jamais rassasiée. Parfois je verse une larme en songeant aux siennes, ou en me remémorant le rire cristallin que les récits de l'Argentin provoquaient chez elle.

Mathilde Van Meegeren était morte la première. Valentina avait suivi. Huit mois plus tard, le Château avait été pris d'assaut par des *sauvages*, il n'était plus guère défendu, ses derniers occupants, Cox et Rastoul, avaient été massacrés. Pour tromper mon chagrin et mon ennui, il me restait Ariston Pitt, le conseiller spécial que l'on disait aussi vieux que le Commandant lui-même. Il s'amusait à entretenir des rapports protocolaires, me fixait rendez-vous trois jours à l'avance alors que nous étions voisins d'étage et que nous n'avions rien à faire de nos soirées. Il appelait ça le report du plaisir. Nous discutions des mérites respectifs de l'Empire austro-hongrois et de l'Empire ottoman, du mystère étrusque, des papes de la Renaissance, du principe de la relativité, des grands mystiques, de Lucrèce Borgia. Cela nous ramenait fatalement à évoquer le souvenir de Mathilde Van Meegeren et de Valentina Ordjonikidze. Il me laissait étaler ma peine sans s'impatienter. Ariston Pitt a fini par mourir il y a neuf mois.

Il y avait aussi Wilkinson. Au début il ne me plaisait pas du tout, et c'était réciproque. Je n'aimais pas les jeunes bellâtres dans son genre, et il détestait les flics, ce que je ne pouvais lui reprocher. Il n'avait rien d'un intellectuel, mais c'était un homme intègre. Je soupçonnais Valentina d'avoir un jour couché avec lui. Une seule fois sans doute, mais c'était toujours une fois de trop. Trois mois après la disparition de Valentina, Wilkinson a mis à exécution le projet qu'il nourrissait depuis son arrivée dans la Péninsule : s'en évader pour atteindre le grand port le plus proche et trouver un cargo en partance pour l'Australie. Il en était convaincu, l'Australie était restée un pays libre, à l'écart de la dérive mondiale. J'avais des doutes à ce sujet, Oncle Ho jugeait l'entreprise absurde, Wilkinson avec son marquage électronique ne ferait pas cinquante kilomètres au-delà des barrages avant d'être repéré et abattu, même s'il avait eu la sagesse de prendre avec lui Branco, compagnon d'évasion jeune et costaud. Mais cela commence à être de l'histoire ancienne. Leur tentative d'évasion date maintenant de dix-huit mois et personne n'a reçu la moindre nouvelle des fuyards. S'ils avaient atteint l'Australie, ils s'en vanteraient et nous l'auraient fait savoir.

Il m'arrive une fois par semaine de dîner au restaurant du septième, en compagnie de notre *mad doctor* Borsellini et de Pomodoro, Sancho Pança local, homme inculte mais pas idiot devenu grand vizir après la mort d'Ariston Pitt. Pour un homme de pouvoir il n'est pas trop pervers, mais sa vulgarité peut devenir abyssale quand il a un coup dans le nez, ce qui lui arrive tous les soirs. Borsellini et lui n'ont que deux sujets de conversation : les résultats sportifs du dernier demi-siècle, principalement de football mais aussi de vélo, et bien entendu les histoires salaces ou scatologiques dont certaines vous coupent l'appétit.

Eux n'ont pas l'air de s'ennuyer, ils prennent la situation comme elle est, à coups de proverbe et de maxime entraînants, à chaque jour suffit sa peine, *carpe diem*, mourra bien qui mourra le dernier, etc. Un jour ils tomberont malades et décéderont à leur tour, cela ne les empêche pas de dormir. Quant à la morosité de leur vie ils n'y pensent même pas, ils ont la chance de n'avoir aucune imagination.

N'ayant jamais connu le bonheur, ils ne savent pas ce que c'est et ne peuvent pas en concevoir de regrets. Je n'en ai pas connu grand-chose moi-même, trois mois et quelques jours en comptant bien, mais cela a suffi à créer le manque. Je n'attends plus rien sinon que la vie s'arrête d'elle-même, mais pour l'instant rien ne vient, aucun signe visible, l'œil expert de Borsellini n'a toujours pas détecté le moindre symptôme, ni ganglion, ni bubon, ni grain de beauté à tendance proliférante. L'ennui et le désespoir, paraît-il, torturent plus cruellement ceux qui ont un jour connu le bonheur, comme si, à la manière d'une drogue dure, son souvenir avait laissé dans le cerveau un trou béant que rien ne parvient à combler.

4

Cela se passait un mois à peine après mon arrivée aux Mouettes. Un jour, en fin de matinée, je constatai la présence de Valentina dans une chambre au fond du couloir.

Oncle Ho n'avait pas besoin de moi ce matin-là, et à midi passé je me prélassais au lit. Une petite musique insistante dans le lointain acheva de me réveiller.

Les occupants du huitième sont particulièrement discrets car ils sont bien élevés, ou parce qu'ils ont depuis longtemps pris l'habitude de ne pas se faire remarquer. Jamais d'éclats de voix, de pas lourds, de portes qui claquent. Parfois on croit qu'ils sont tous morts.

C'était une journée de grisaille, un de ces jours où le ciel forme une masse à première vue indistincte qui se confond avec la mer. Le tableau paraît immobile, mais si l'on regarde attentivement, on constate en permanence de subtils mouvements au sein de la couverture nuageuse, comme si le ciel préparait un big bang qui ne vient jamais.

Soudain je perçus une musique dont le son assourdi peinait à parvenir jusqu'à moi, j'aurais pu à tout moment en perdre le fil si je n'avais par inadvertance identifié dès les premières mesures une œuvre ancienne dont je connaissais par cœur les passages les plus vigoureux sans pouvoir lui donner un nom.

En entrouvrant la porte de ma chambre, j'entendis plus distinctement. Un détail avait à mon insu attiré mon attention, il fallut un temps pour qu'il s'inscrive dans mon cerveau : ce que j'entendais n'était pas de la musique enregistrée. La mélodie s'interrompait, on entendait distinctement le bruit d'instruments qu'on accorde, puis on reprenait au début de la mesure. Cela devait être un mirage : il y avait bel et bien derrière l'une des portes de ce couloir un petit groupe de musiciens en train de répéter un trio ou un quatuor à cordes. On discernait ici et là dans l'exécution un léger raté, une imprécision, des bruits parasites qu'on n'entend que dans les enregistrements réalisés en direct.

Je connais de vue la plupart des occupants du huitième étage, mais je ne sais rien d'eux, ni leur nom ni leur histoire. Certains n'adressent la parole à personne, sortent à peine de leur chambre, ils sont tous vieux : vieux couples résignés, vieux mâles promis à une mort prochaine, vieilles dames qui ont perdu leur compagnon et ne savent plus comment terminer la partie. Ils paraissent interchangeables, vont et viennent comme les automates d'un jeu géant qui ne s'arrêterait jamais. De temps à autre une main invisible retire subrepticement une pièce défectueuse, un cheval, un cavalier, un clown, et la remplace par une nouvelle figurine. Un matin on constate qu'untel a disparu de sa chambre, peut-être la nuit précédente, peut-être deux jours plus tôt. Serait-il décédé d'une maladie foudroyante, comme cela se produit à la cadence actuelle moyenne de 0,6 mort par mois ? Aurait-il dans un moment de folie décidé de passer en force les barrages ? Serait-on venu le chercher à l'aube parce qu'il serait contagieux ? La chambre reste inoccupée quelques jours, une semaine, un nouveau venu fait son apparition et prend sa place dans la troupe, se fond dans le décor. L'eau de notre aquarium se renouvelle continuellement sans qu'on voie la différence.

Oncle Ho aurait-il eu la fantaisie d'accueillir un ensemble de musique de chambre afin d'égayer nos soirées ? Encore eût-il fallu qu'il trouve, égarés dans la presqu'île, quatre musiciens diplômés du conservatoire, dûment équipés de leurs stradivarius et autres instruments, et cela ne risquait pas d'arriver.

Je me laissai guider par la musique. Elle venait d'une petite chambre d'angle tout au bout du couloir. Je m'approchai de la porte, restée entrebâillée. Il y avait bien une présence humaine dans la pièce, des musiciens au travail que je devinais sans les voir.

Après un finale enflammé, il y eut une pause. J'entendis une voix de femme, Entrez, c'est ouvert. Je poussai la porte. Il y avait, au milieu de la pièce, une femme seule qui me tournait le dos, assise sur un tabouret, un archet à la main et un violoncelle entre les cuisses. Elle portait un pantalon militaire kaki savamment serré à la taille et légèrement flou sur les hanches. Elle se contenta de tourner légèrement le regard dans ma direction, l'archet toujours levé, comme si elle se disposait à reprendre le cours de son récital. Elle avait un visage tout en longueur, certains auraient dit chevalin, et le chignon qui ramenait strictement ses cheveux châtains sur le haut du crâne dégageait une nuque également longue et fine. Elle me regarda d'un œil tout juste interrogateur, sans un mot. Excusez-moi de cette irruption, dis-je, j'ai cru qu'il y avait un nouvel orchestre de chambre chez nous, cela m'intriguait. Il y a longtemps, je connaissais cette musique, mais je ne parviens pas à m'en rappeler le titre. – Schubert. *La Jeune Fille et la Mort*, dit-elle sur un ton qui n'incitait pas au bavardage. Je présentai mes excuses d'avoir interrompu son travail.

Vous ne me dérangez pas, dit-elle, j'avais terminé. C'était juste un petit entraînement, une remise en forme.

Cela fait des semaines que je n'ai pas pu travailler mon violoncelle, j'étais par monts et par vaux, je viens tout juste de m'installer. Bien que mon orchestre ne soit pas très encombrant – elle désigna de la main le bloc-source d'où semblait émaner la partie instrumentale –, il fallait quand même traîner le violoncelle. J'ai réussi à conserver une trentaine de partitions, vous connaissez le système, on peut supprimer à volonté un instrument solo, cela permet aux concertistes de s'entraîner à peu de frais, je vous montrerai, j'ai d'autres Schubert, les principaux concertos pour violoncelle, bien entendu.

Elle se présenta : Valentina Ordjonikidze. Elle était là depuis quelques jours déjà, sans que je m'en fûs rendu compte ou que le grand chef eût mentionné sa présence.

C'est normal, dit-elle, on m'a prêté ce petit local pour mes séances de travail, mais j'habite au septième. Je donnerai quelques concerts, je veux dire des performances, il faut bien que je paye mon loyer. À ce sujet, cela pourrait vous intéresser, je propose des séances de réflexologie et de relaxation par la musique, mais j'ai d'autres projets. Elle s'exprimait avec une aisance parfaite, mais avec un accent. Oui, géorgien c'est un vieux reste d'accent géorgien hérité de ma famille, ajouta-t-elle négligemment, cela remonte au déluge, je suis douée pour les langues, je me débrouille en anglais, en allemand, je manie quelques injures commodes en chinois, mais je n'ai jamais réussi à me débarrasser de cet accent bizarre. On m'a dit qu'il est joli, alors j'ai cessé de m'en préoccuper.

Pour ne pas être en reste, je lui suggérai de passer à l'italien, qui se pratiquait dans la famille Durante. Malheureusement, dit-elle, je ne comprends guère que l'italien des livrets d'opéra, ce n'est pas très pratique dans la vie de tous les jours. Contrairement aux légendes, les chanteurs n'ont jamais demandé à leur partenaire de leur passer le sel en poussant le contre-ut. Je lui demandai si par hasard elle me donnerait des cours particuliers d'injures en mandarin, cela pourrait me servir le jour où je retournerais dans le monde des vivants, de l'autre côté de la ligne de démarcation.

Elle me fixa droit dans les yeux avec une moue pensive, comme si elle méditait la proposition, Je pourrais vous apprendre quelques injures chinoises, j'ai constaté qu'elles procurent du plaisir ou du soulagement à certains individus, je me demande bien pourquoi. En principe, je ne donne pas de cours particuliers, je préfère les séances de groupe, c'est plus rémunérateur et ça évite les malentendus. Mais bon je fais parfois des exceptions, quand il s'agit d'élèves particulièrement doués, désireux d'apprendre, peut-être méritez-vous qu'on s'intéresse à votre cas.

Je ne sais pourquoi, à cause de l'accent peut-être, mais la manière dont elle avait prononcé ces paroles ironiques me fit l'effet d'une secousse électrique. Au même moment je notai la finesse parfaite de son nez long et droit et la qualité surprenante de la peau de son visage, lisse et satinée comme celle d'une jeune fille de vingt ans. Cela faisait des mois que je n'avais pas songé à une femme. Quand mes ennuis avaient commencé, je passais mes journées hébété, les nerfs à fleur de peau. Depuis mon arrivée dans la Péninsule, j'avais constaté une absence étonnante de tout objet du désir. Les femmes désirables semblaient avoir disparu à jamais, je m'étais habitué à cette idée et remis à la lecture. Et voilà que, surgie de nulle part, une sublime violoncelliste à tête de cheval, à la taille de guêpe et aux jambes interminables faisait son apparition dans ce microcosme peuplé de vieillards et de sursitaires.

Elle dut lire dans mes pensées car elle ajouta, Vous n'êtes pas vraiment jeune, certes, mais vous semblez en bon état de marche. Je veux dire que vous avez un peu plus de style que la plupart, ce qui n'est certes pas très difficile, car la moyenne est faible dans la région. Peut-être même avez-vous de la conversation, ce qui manque également. – De la conversation, je ne sais pas, je suppose que j'en ai eu, mais j'ai perdu l'habitude. Mais dites-moi plutôt ce que vous faites là et où se trouve le mari, il ne doit pas être loin, je suppose. C'était dit sur le ton de la plaisanterie, une sorte de vieille galanterie indémodable. Le mari désignait tout partenaire masculin un peu stable, cela pouvait être un amant de six mois, un compagnon fidèle de vingt ans, un gigolo, un maquereau, un papa gâteau.

Il est possible que j'aie un mari, si c'est le cas il doit vivoter quelque part à proximité, ironisa-t-elle. Il est toujours plus prudent d'avoir un mari. Mais rien qui doive vous effrayer : s'il est possessif, il ne doit pas être jaloux. Et maintenant, si cela ne vous dérange pas, je dois travailler un peu. Ne venez pas frapper à ma porte si c'est possible, sauf cas de guerre mondiale, et encore. Je préfère moi-même vous rendre visite, ce sera un de ces jours prochains, je vous le promets. Jimmy, vous avez dit ? Alors, à bientôt, Jimmy. Je vous ferai signe.

Un après-midi je l'aperçus de loin, elle s'engouffrait dans l'escalier de secours pour aller au septième. Moi-même je partais en service. Nos yeux se croisèrent peut-être une fraction de seconde. Un autre jour, de ma fenêtre, je la vis déambuler sur la jetée en compagnie de Wilkinson, le chef de la garde personnelle de Ho, ils discutaient avec vivacité puis s'étaient séparés brusquement, elle avait allumé une cigarette et repris sa marche jusqu'à disparaître de ma vue. Un après-midi j'entendis, ou je devinai, de nouveau depuis ma chambre le son du violoncelle.

Réunion de routine chez Oncle Ho, avec les habituels participants, Ariston Pitt, l'indéboulonnable conseiller ;

le *docteur* Guido Borsellini, ancien grand manitou du dopage radié de l'ordre des médecins, bon diagnosticien tout de même, tout le monde vient lui montrer ses boutons suspects pour examen ; Pomodoro, notre ministre de l'Intérieur issu de l'univers impitoyable des casses automobiles, un homme à l'esprit pratique ; et le jeune Wilkinson, chef de la sécurité, dix hommes sous ses ordres. Quand il ne se passait rien de particulier, on se réunissait deux fois par semaine dans l'après-midi, j'étais chargé de préparer un cérémonieux ordre du jour en six copies, de prendre des notes puis de ramener dans les vingt-quatre heures un compte-rendu précis et détaillé de la réunion au Commandant pour ses archives. On commença par un tour d'horizon rapide, les approvisionnements en pétrole, cela relevait de Pomodoro, Rien à signaler concernant les livraisons de pétrole, et ce malgré la récente fermeture des checkpoints, quatre jours je le rappelle, une mesure d'intimidation, sans plus, et nos réserves sont largement suffisantes. Immigration aux frontières, le flux habituel, les réfugiés ont dû attendre que les checkpoints et les autres points de passage soient rouverts pour traverser la ligne de démarcation, mais à la fin du mois on retrouvait les mêmes chiffres que le mois précédent. À part ça on ne signalait aucun trouble majeur, les marchés s'étaient tous tenus sans incidents, les ateliers de sous-traitance avaient livrés dans des délais raisonnables, tout le monde avait payé sa redevance, des semaines comme ça on en redemandait. Reste donc le cas des époux Martinez, dit le Commandant, on ne peut plus temporiser. Il y eut un moment de gravité, car certains connaissaient personnellement les Martinez, des vieux arrivés deux ans plus tôt. On ne les voyait jamais, ils ne sortaient pas, se nourrissaient dans leur chambre. Ils avaient de gros problèmes d'argent et personne pour les aider. Six mois plus tôt, on leur avait accordé une importante remise (mille huit cents UC au lieu de trois mille) et on les avait déménagés au cinquième étage, là où personne ne voulait aller en raison de l'insalubrité. Aujourd'hui cela faisait deux mois qu'ils ne payaient plus. – Vous êtes sûr qu'ils n'ont pas de l'argent caché quelque part ? demanda Pomodoro. – Je ne crois pas. Je pense qu'ils nous ont eus au bluff, dit Ariston Pitt, ils prétendaient avoir de quoi payer, en fait ils avaient très peu d'argent, je me demande s'ils ne se sont pas fait escroquer en passant la frontière. Je sais qu'au cours des derniers mois ils ont discrètement revendu comme ils pouvaient des bijoux, des objets en or, j'ai l'impression qu'ils n'ont vraiment plus rien. Nous avons déjà eu des pensionnaires dans cette situation, mais ils étaient déjà malades, ils n'insistaient pas et demandaient à être *accompagnés*. – Les Martinez ne tombent jamais malades, c'est là le drame, ajouta Borsellini, ils n'ont aucun symptôme et se portent aussi bien qu'au premier jour, cela s'explique par leur grand âge et le fait qu'ils ne sortent jamais. Il y eut une nouvelle pause. Oncle Ho se disposait à trancher, il ne fuyait jamais ses responsabilités. Notre communauté des Mouettes n'avait aucune chance de survivre si tous ne participaient pas à l'effort, dit-il en substance, et tous connaissaient les règles du jeu à leur arrivée. Après une dernière mise en demeure, il faudrait donc procéder à l'expulsion des Martinez dans un délai de sept jours, le pôle n°3 disposait d'une salle commune pour indigents, on leur offrait un ersatz de café le matin à huit heures, une soupe chaude à dix-neuf heures et le dortoir pour la nuit, à eux de se débrouiller pendant la journée, certains mendiaient et ne s'en tiraient pas si mal. Il est vrai que l'espérance de vie dans ces conditions n'était pas très grande pour des vieillards. À noter cependant que le pôle des Mouettes paierait jusqu'à la fin et de son plein gré au pôle n°3 une redevance hebdomadaire de cent cinquante UC pour l'hébergement de nos anciens locataires, ailleurs on n'avait pas toujours autant d'élégance. Pomodoro et Borsellini étaient chargés de la besogne (avec rapport dans les dix jours), ils avaient l'habitude. On leva la réunion.

Je m'attardai un moment sur les lieux sans parvenir à me décider, une question me taraudait (d'où venait cette Valentina Ordjonikidze et que faisait-elle ici ?), mais à qui la poser ? Certainement pas à Wilkinson, il connaissait trop bien la réponse. Oncle Ho n'était pas un homme avec qui on abordait les problèmes personnels. J'avais eu au départ un bon contact avec Ariston Pitt. Je lui demandai si je pouvais passer le voir, pour motifs privés. Il leva le sourcil, hocha la tête, Venez dans une heure, ce sera parfait.

Ariston avait le regard perçant, une chevelure clairsemée d'ancien jeune premier devenu vieillard. Il portait une tenue de gentleman en week-end dans une station balnéaire, veste de cachemire gris bleuté aux rapiéçages visibles, vieux pantalon de flanelle au pli acceptable mais trop grand de trois tailles, chaussures de style britannique ressemelées avec les moyens du bord, pull au col en V sur une chemise et une cravate fatiguées. Avec ses lunettes à monture ronde, sa moustache et son bouc, il aurait pu passer pour un collègue de Sigmund Freud à Vienne en 1920 ou un commissaire du peuple de la jeune Union soviétique, tels Kalinine ou Rykov.

Son appartement était sombre et sentait un peu le renfermé. Sur une étagère s'entassaient pêle-mêle des dizaines de bouquins, on se demandait d'où ils pouvaient venir. Vous avez beaucoup de livres, lui fis-je remarquer. – Oui, j'en avais quelques-uns avec moi quand j'ai passé la ligne, par la suite j'ai réussi à m'en faire expédier, c'était faisable, on s'arrangeait avec les passeurs, il suffisait de payer. L'Oncle Ho me dit que vous êtes un intellectuel, anciennement des Organes. Ce qui fait de vous, si j'ose dire, un intellectuel organique. Satisfait de son jeu de mot gramscien[1], il se répandit en une sorte de gloussement à tonalité variable puis m'assura qu'il n'avait rien contre les agents du ministère de la Sécurité, retirés de préférence, En passant la ligne de démarcation vous vous êtes refait une virginité. On croise ici quelques anciens flics ou militaires, mais surtout une quantité impressionnante de repris de justice et de criminels, cela fait une moyenne et nous vivons ici en bonne intelligence, personne ne songe à se venger, les meurtriers n'ont même plus envie de commettre des meurtres, sauf si l'on s'attaque à eux, bien entendu.

Ariston Pitt était à une époque un universitaire prestigieux, il conseillait les gouvernements et vendait ses conférences à prix d'or. Il avait plongé à l'occasion de l'affaire *Parqueurs et marqueurs*, du nom de l'appel dit des Cinquante. Les signataires dénonçaient l'eugénisme socio-économique, les malades et les vieillards *parqués* dans les camps, l'élimination sociale par le *marquage*. Les Cinquante se croyaient intouchables, et le professeur Pitt était le plus illustre d'entre eux. Il fut l'objet d'une insidieuse campagne sur les réseaux et de tracasseries bureaucratiques. Puis on passa aux mesures policières, une instruction fut ouverte pour incitation à la désobéissance civile, les gardes à vue commencèrent. Un jour on constata qu'il avait quitté son domicile, personne ne l'avait plus revu en public. Maintenant c'est ici que je donne mes conférences, seuls les tarifs ont changé. Mais vous vouliez me parler d'autre chose, jeune homme, alors assez bavardé. Un problème de cœur, j'en suis sûr, cela semblait si important pour vous. Je protestai, je voulais seulement obtenir quelques renseignements sur une locataire qui sauf

1. Allusion savante au concept d'« intellectuel organique » que l'on trouve dans les écrits d'Antonio Gramsci (1891-1937), cofondateur du Parti communiste italien et théoricien du marxisme.

erreur venait de faire son apparition aux Mouettes et m'intriguait un peu. Ah ! vous voulez dire Valentina Ordjonikidze ! Je m'en doutais, elle est parmi nous depuis peu, et les femmes de ce genre ne sont pas si nombreuses. Elle est belle, tout le monde en convient, elle a surtout une énergie phénoménale et beaucoup de courage. Cela fait deux ans qu'elle a passé la ligne, et la manière dont elle a réussi à survivre est admirable, vous le constaterez vous-même. Pour l'instant elle est chez nous à l'essai, elle a promis en échange d'un loyer dérisoire de faire un peu d'animation au profit de nos vieux, elle a parlé de tombola ou de séances bizarres et tarifées au prix fort car elle a besoin d'argent, mais elle a de la ressource, elle a beaucoup bourlingué dans la Péninsule et elle s'est toujours débrouillée.

Le cinquième jour, ou le septième, ou le quatrième, le temps me paraissait parfois long et puis heureusement je pensais à autre chose, on frappa à ma porte en fin d'après-midi. J'ouvris, elle se tenait immobile devant moi. Elle portait une robe légère et sombre à motifs imprimés, dans un style en vogue par intermittence au XXᵉ siècle. Je n'avais aucune nouvelle de vous et je passais par-là, dit-elle avec un certain aplomb, alors je suis venue vous faire coucou, en fait non, je suis débordée et j'avais besoin de me détendre, je me demandais ce que vous deveniez, ça ne vous gêne pas que j'entre un moment ? Sans attendre ma réponse elle s'avança d'un pas décidé. C'est une robe que j'ai chinée récemment, elle m'a paru sublime, qu'en pensez-vous ? J'ai trouvé aussi des bas à coutures, indispensables avec cette robe. Vous préférez les robes ou les pantalons ? Elle fit un tour sur elle-même, ce qui eut pour effet de déployer le léger tissu en corolle, et elle se regarda dans la glace murale, c'est vrai que cette robe était jolie. Cela vous dérange que je fume une cigarette ? Elle sortit de son sac un paquet de Camel et expliqua avec volubilité qu'elle avait des goûts très précis en la matière, les Camel et les Lucky Strike avaient ses faveurs, elle pouvait se contenter de Winston ou de Pall Mall, mais pour rien au monde elle n'aurait fumé les chinoises ou les indonésiennes bas de gamme qu'on trouvait à tous les coins de rue, si j'ose dire, sans parler des cigarettes de fabrication artisanale vendues dans des paquets fantaisistes et contenant des produits non identifiés.

En dehors des gardes de sécurité et du personnel de service, elle devait être la dernière pensionnaire de l'hôtel des Mouettes à s'obstiner à fumer. Diverses drogues étaient en circulation, coke de synthèse, *uppers* et *downers* de diverses générations, mais tout le monde avait renoncé à la cigarette, c'était très cher pour peu d'effets et les approvisionnements étaient trop aléatoires. Quand tout allait bien, le paquet coûtait déjà l'équivalent d'une bouteille de whisky de grande marque, mais lorsqu'il y avait pénurie on voyait des fumeurs particulièrement accros payer jusqu'à deux bouteilles et davantage. Valentina avait réduit sa consommation à une dizaine de cigarettes par jour, mais l'addiction restait entière et lui coûtait tout de même des fortunes et beaucoup d'énergie. Elle angoissait à l'idée de tomber en panne sèche, passait son temps à guetter les bonnes occasions, achetait en quantité lorsque les prix étaient raisonnables et veillait à toujours avoir plusieurs paquets en réserve.

Je sais, c'est idiot, je devrais arrêter la cigarette, dit-elle sans la moindre conviction. Elle s'assit dans un fauteuil et croisa ses longues jambes dans un délicieux bruissement de soie ou de nylon qui provoqua chez moi un ancien réflexe pavlovien dont je croyais avoir perdu le souvenir. Elle se releva, alla à la fenêtre pour vérifier la qualité de la vue, entreprit d'inspecter le reste de la chambre, C'est bien chez vous, pas trop mal tenu pour un homme, tiens, vous lisez des livres, je croyais que ça n'existait plus, où les avez-vous trouvés ? – Je ne sais pas d'où ils viennent, comment ils ont échoué à l'hôtel, ils traînaient à la cave depuis longtemps. Elle commença à passer en revue les bouquins alignés sur le rayon supérieur de la bibliothèque, Jules Verne, *Anna Karénine*, Malaparte, *Le Comte de Monte-Cristo*, Jorge Luis Borges, *Adolphe*, tiens, *Chez les heureux du monde*, c'est un titre étrange, j'aurais envie de le lire, vous me le prêterez un de ces jours ? Elle avait terminé sa cigarette, de même que sa petite inspection, Au fait, que faisiez-vous avant ? Vous étiez du genre intellectuel, je suppose, c'est ce qu'on se dit en vous voyant. – J'ai eu plusieurs vies et j'ai toujours beaucoup lu. En fait, j'étais payé pour écrire, pour lire et résumer ce que j'avais lu. L'État m'entretenait, c'était un bon patron même si le travail était assez routinier. Elle me regarda d'un œil perplexe, elle se demandait ce qu'il fallait croire ou ne pas croire, Vous étiez une sorte de fonctionnaire, si j'ai bien compris. Bon, je dois filer maintenant, j'ai tellement à faire, on se reverra. Elle se dirigea vers la sortie, je lui rouvris la porte. Arrivée à ma hauteur, elle se planta devant moi et me regarda droit dans les yeux, Vous voulez m'embrasser ? Je pus vérifier qu'elle avait une taille parfaite comme je l'avais deviné. Elle se dégagea délicatement de mon étreinte, Vous embrassez assez bien, admit-elle avant de me tourner le dos et de s'engouffrer dans le couloir.

5

Elle se manifesta de nouveau à l'improviste quelques jours plus tard, il était midi à peine et je n'avais même pas pris un café. Jimmy, où étiez-vous donc passé ? Cela fait des jours ! Je croyais vous voir à la tombola. – Quelle tombola ? – Celle que j'organisais samedi après-midi au septième étage, vous auriez pu venir m'encourager. – Cela m'a échappé, je n'étais pas au courant. – Très beau succès, si vous voulez savoir. Une trentaine de personnes, entrée payante comme il se doit, plus les cocktails spéciaux, plus la participation au tirage, une belle opération en somme. Je prends vingt pour cent, cela vous semble abusif ? Mais bon, là n'est pas la question, je suis venue vous demander un petit service. Je fis une moue qui signifiait, Mais avec plaisir, encore faudrait-il que je sache de quoi il s'agit. Vous êtes libre cet après-midi ? Je l'étais, à la condition d'obtenir quartier libre en haut lieu. C'était une excuse juste au cas où, une façon de me ménager une porte de sortie, je savais que je n'avais rien au programme.

De manière que je comprenne la gravité de la situation, elle sortit de sa poche un paquet de Camel, le secoua comme si les cigarettes allaient se multiplier par enchantement, le contempla de nouveau avec incrédulité et me le mit sous les yeux pour que je constate l'étendue de son malheur. Vous voyez combien il m'en reste, il faut que je m'en trouve, cette fois, ça ne peut plus attendre. Je voulais m'en occuper hier, mais ça n'intéressait personne, il y avait tant à faire, j'ai finalement oublié. Et maintenant : plus rien ! C'est-à-dire plus rien dans quelques heures !

Je compatis à son drame et fis mine de m'y intéresser. Il devait bien y avoir quelqu'un dans cet hôtel qui fume en cachette et qui a une petite réserve. – Il n'y a personne de ce genre ! C'est plus facile ici de trouver de la coke ou des amphétamines. – J'ai vu des miliciens et des gardiens la cigarette au bec. – Ils fument des chinoises ou pire encore. – Il y a bien des vendeurs de cigarettes quelque part dans le secteur. – Je vous dis qu'il n'y en a pas. Je sais où en acheter, encore faut-il y aller. Je compris le message. Nous étions bons pour l'une de ces expéditions hasardeuses dont on ne savait pas si l'on reviendrait vivant, après combien de péripéties ou dans quel état.

L'endroit auquel elle faisait allusion, je le connaissais de réputation, c'était un secteur situé à l'extrémité est de la Péninsule et pour cette raison baptisé East Point. On y voyait jadis de belles maisons aux toits d'ardoise entourées de terrains boisés, certaines avaient échappé à la dévastation, une bande mieux organisée que les autres avait pris le contrôle du pâté de maisons, réparti les lieux d'habitation, instauré l'ordre et sécurisé le périmètre. Parmi les lieux protégés de la presqu'île, East Point passait pour être le plus agréable, le plus luxueux. Oui, c'est un bel endroit, disait Oncle Ho, et tout le monde voudrait y habiter, mais le jour où il y aura de vrais problèmes, on constatera que c'est un lieu difficile à défendre, une vraie passoire.

Je crus comprendre que Valentina y avait déjà séjourné, elle y avait des relations, on ne s'étendit pas sur le sujet. Je lui demandai simplement comment on irait jusqu'à ce lieu diamétralement opposé aux Mouettes, situé à vingt-cinq ou trente kilomètres et traversant l'intérieur des terres. Quand j'étais allé jusque-là, c'était avec une escorte et le meilleur véhicule blindé, car nous avions Oncle Ho à bord. Il n'allait pas nous prêter le command-car et deux gardes juste pour aller acheter des cigarettes. Ne vous en faites pas, dit Valentina, je connais tous les petits chemins pour se rendre à East Point. Pas besoin de blindé, vous verrez. Je prends une douche et je reviens vous prendre dans vingt minutes.

Elle réapparut vêtue de son pantalon kaki et de son treillis, prête pour la guerre, un sourire satisfait aux lèvres, Je suis passée voir le Commandant, il nous prête la Subaru. La Subaru ! Un antique break à gazole qui traînait au fond du garage, rapiécé des pieds à la tête au fil des cinquante dernières années et qui avait dû servir un jour au transport des betteraves et des tomates les jours de marché, je ne savais même pas qu'il roulait encore. Je connais l'engin, me rassura-t-elle, il fait un vacarme infernal et ne dépasse pas les cinquante kilomètres à l'heure, mais c'est un véritable quatre-quatre, il passe dans les plus mauvais chemins, on l'a équipé de pneus tout-terrain et de pare-chocs offensifs. Quand ils le voient ou l'entendent s'approcher, les hooligans croient qu'il s'agit d'un véhicule blindé et s'enfuient.

Nous descendîmes au parking en sous-sol. Valentina avait un billet signé de la main de Ho autorisant l'attribution de pétrole. Le préposé disparut dans son bureau et revint avec au bout du bras un jerrican contenant très précisément les huit litres de carburant prévus en haut lieu. Cela devait suffire largement pour le trajet aller-retour. Nous montâmes à bord, Valentina insista pour se mettre au volant, J'ai déjà utilisé cet engin et j'ai l'habitude de la route.

Le trajet aller se fit sans encombre.

Valentina semblait connaître le terrain aussi bien qu'elle le prétendait, dès la sortie du parking elle se dirigea avec autorité dans un dédale de rues où je me serais perdu. Elle avait choisi un point de passage peu fréquenté qui donnait directement sur la sortie du bourg. Si l'on suit les bons itinéraires, dit-elle, on n'a jamais de soucis, les voyous se concentrent sur les voies les plus passantes. Nous atteignions les faubourgs, les immeubles d'habitation cédaient la place à d'anciens lotissements à l'abandon, tout était resté en l'état, uniformément calciné. Il y eut une première bifurcation. Valentina opta pour un étroit chemin de terre à peine carrossable. Nous roulions à petite vitesse. Sans un mot, elle pointa du doigt quelque chose au loin sur la droite. Quelque part au fond de la rase campagne, une fumée grise se détachait dans le ciel. Le chemin nous fit passer à proximité. J'aperçus de hauts murs, qui devaient abriter des bâtiments de ferme, et de grands arbres dont la cime dépassait le mur d'enceinte. Il n'y a aucun danger, dit Valentina, ce sont les Schumacher, je les connais bien, ils m'ont déjà dépannée, on peut se réfugier chez eux en cas d'urgence, ils tiennent le mas depuis longtemps, ils sont une vingtaine là-dedans, femmes, cousins et journaliers, ils font un peu de tout, des fruits et légumes de qualité, de l'élevage, des vaches laitières, et ils produisent un foie gras qu'on s'arrache, tout va bien pour eux, l'année dernière ils ont eu des problèmes, mais depuis ils sont armés jusqu'aux dents, personne ne vient plus les embêter. Il n'y a pas d'autres fermes avant plusieurs kilomètres, alors si vous voyez du mouvement, surtout prévenez-moi, on risque toujours de tomber sur des campements de *sauvages*.

La voiture progressait lentement, devait zigzaguer pour éviter les fondrières, les amas de terre et de rochers formés sous l'effet des intempéries. Certaines portions de route n'avaient pas vu passer de véhicules motorisés depuis longtemps. Quelle belle journée ! s'exclama ma compagne de voyage, vous voyez ça se dégage, on doit être tout près de la côte est, le temps est très différent par ici.

La région était célèbre jadis pour ses brusques changements de météo, on disait qu'il y faisait beau temps cinq fois par jour. C'était moins fréquent depuis l'incident nucléaire en raison de la pollution, mais cela se produisait parfois. Le vent s'était levé et avait déchiré le gris uniforme du ciel, tout s'était mis en mouvement. De délicieux nuages d'un blanc immaculé avaient fait leur apparition et se déplaçaient à vive allure sur un fond bleu d'une densité nouvelle.

On atteignit la route du bord de mer, aussi mal en point que les chemins de l'intérieur. La côte avait dû être d'une grande beauté, c'était un rocher d'un seul tenant qui plongeait dans la mer et sur lequel on avait planté de magnifiques maisons de pierre. Les incendies avaient épargné le secteur, mais les belles villas avaient été saccagées, comme ailleurs elles avaient perdu toit et fenêtres. J'essayai d'imaginer ce qu'elles avaient été, entourées d'arbres centenaires eux aussi accrochés à la falaise, tordus et inclinés par les vents marins violents. Ils avaient tous été fauchés, les troncs étaient noircis sous l'effet des pluies acides.

On est tout près, c'est là-bas, dit-elle.

Sur la gauche de la route on devinait plus qu'on ne voyait East Point, les maisons étaient dressées sur un promontoire légèrement en retrait, protégées de la vue par de grands arbres qui avaient échappé aux prédateurs. Pour y accéder il fallait quitter la route principale et s'engager sur un petit chemin de terre qui ne payait pas de mine mais restait praticable. À la sortie du premier virage, on aperçut un checkpoint tenu par un petit groupe d'hommes en uniforme, armes automatiques en bandoulière.

Le Commandant exagère toujours un peu, ironisa-t-elle, vous pouvez constater que l'endroit est quand même bien tenu. Ne vous en faites pas, je connais les gars, ou du moins il y en aura au moins un qui me connaît. Elle baissa la vitre et fit de grands signes de la main de bas en haut à trois reprises, comme un mot de passe par sémaphore. Elle ralentit encore. L'un des types du barrage fit à son tour un geste ample de la main. Il vaut toujours mieux s'identifier, dit-elle, ils aiment savoir à qui ils ont affaire. La voiture s'immobilisa à quelques mètres de la barrière. Un grand brun très maigre s'approcha d'un pas nonchalant, l'arme toujours en bandoulière. Mais c'est notre comtesse russe ! s'exclama-t-il avec bonne humeur, qu'est-ce que tu fais là, tu te balades ? – Bonjour, Péron, cela fait un moment, tout se passe bien ? On m'a dit que Gustav est ici et qu'on pouvait le voir. – Tu ne peux pas mieux ranger, Gustav vient de recevoir une livraison.

La barrière se leva, on avança encore de cent mètres jusqu'à un terrain plat qui faisait office de parking, y stationnaient deux jeeps électriques à la carrosserie abîmée mais d'un modèle plutôt récent. Valentina coupa le contact et sortit de la voiture sans même se soucier de remonter sa vitre. Un escalier de pierre abrupt menait à une grande terrasse autour de laquelle étaient disposées quelques belles maisons en parfait état.

D'un pas décidé, Valentina traversa la terrasse, s'engagea dans une allée entre deux bâtiments. À l'arrière, il y avait encore d'autres maisons. Elle frappa à une lourde porte de chêne massif. Après un moment, on entendit des bruits de pas, de portes qui claquent et de meubles qu'on déplace. Un judas s'entrouvrit et se referma d'un claquement sec, la porte s'ouvrit sur un homme sans âge, voûté, qui faisait peut-être office de portier, à moins qu'il ne fût simplement l'un des habitants de la maison. Bonjour, Valentina, dit-il d'une voix lasse, le Baron sait-il que tu es là ? – Le Baron sait qu'il m'arrive de passer, il est d'accord, je n'ai pas besoin de lui demander la permission. – C'est toi qui vois. – Il paraît que Gustav est dans la maison ? – Oui, il est là, tu n'as qu'à monter.

Il me désigna du menton, Et lui, c'est qui ? – Ne fais pas d'histoire, Arthur, ce gars vient de chez Ho, c'est son nouveau conseiller, il est avec moi, il n'y a pas de problème. – Bien. Il peut entrer, mais il reste là, on ne laisse pas les étrangers accéder aux étages.

Valentina s'engagea dans l'escalier de bois sombre et patiné. Le dénommé Arthur me fit passer dans une vaste pièce, on remarquait tout de suite la cheminée et son feu de bois qui crépitait. Mon cicérone précisa sans que je lui aie rien demandé, Ce sont des gars qui nous livrent le bois, il vient je ne sais d'où, ici on ne déboise pas. L'ameublement était disparate et accueillant, des tapis orientaux aux couleurs passées recouvraient une moquette visiblement usée jusqu'à la corde, un canapé de cuir et des fauteuils club, une table basse où traînaient de vieux magazines, un jeu de Scrabble, une boîte contenant un jeu de fléchettes avec sa cible accrochée au mur. L'ensemble faisait aimablement négligé, comme dans les vieilles maisons de famille, mais on faisait régulièrement le ménage, les fenêtres à carreaux avaient été minutieusement récurées dans un passé récent.

Vous êtes bien, ici, vous avez de la chance, dis-je, manière de faire la conversation. – Ça va, on n'a pas à se plaindre, marmonna Arthur. Le Baron est un peu vieux jeu, il aime les trucs à l'ancienne, il est assez tatillon et il aime que les choses soient à leur place, mais comme ça tout est propre et la maison est bien tenue. C'est du travail, mais à la fin c'est agréable.

J'en conclus que le mystérieux Baron habitait là, peut-être au dernier étage comme généralement les chefs, ou alors cette maison lui servait de quartier général.

Avant de se retirer, le préposé à l'accueil m'indiqua l'emplacement de la salle d'eau et me signifia que je pouvais attendre sur place. Je m'approchai de la fenêtre et restai un moment en contemplation devant ce tableau si parfaitement composé, j'imaginai que l'architecte avait délibérément choisi l'orientation des murs et la dimension des ouvertures de manière à obtenir le cadrage précis de la falaise, des arbres et de la mer. Il régnait un silence général, à peine troublé par des bruits de pas dans le lointain ou l'écho de conversations feutrées. Je m'affalai dans un fauteuil club. Sur la table basse, un vieux magazine jauni affichait en couverture la figure oubliée de Mme Hortensia Lopez, seconde femme de l'histoire et première Latino à avoir accédé à la présidence américaine. J'essayai de me rappeler les événements de cette époque, les faits et gestes de cette pionnière, puis renonçai devant l'inanité du projet. Il se passa une heure, peut-être un peu moins, peut-être un peu plus, j'avais dû m'assoupir sous l'effet rassurant du feu de bois. Une main légère aux pointes acérées me caressait doucement les cheveux. Je soulevai prudemment les paupières.

Vous aviez l'air si bien, me dit Valentina, je suis désolée de vous brusquer, mais nous devons repartir, il fera nuit dans deux heures. – Vous avez eu tout ce que vous vouliez ? Elle me montra un sac de toile qu'elle portait en bandoulière, Tout s'est passé à merveille. En forme ? – Je crois que j'ai dormi. – On sera aux Mouettes dans moins d'une heure, c'est tout simple, on reprend le même chemin dans l'autre sens, voilà tout.

Une fois dans la voiture, elle consulta par acquit de conscience une carte de la région grossièrement dessinée à la main, mit le contact, salua d'un geste de la main les hommes de la barrière. Vous semblez connaître tout le monde par ici. – Oui, c'est vrai, mais je n'ai pas de mérite, le Baron est un ancien mari à moi. – Un mari ? Celui dont vous me parliez l'autre jour ? – Je vous ai parlé d'un mari ? Je ne me souviens pas. En tout cas, ce n'était pas lui. – Et des maris de ce genre vous en avez beaucoup ? – Oh ! ça dépend, dit-elle évasivement.

L'incident se produisit un peu plus tard, nous devions être à mi-parcours, sur un terrain plat et dégagé. Au bout d'une longue ligne droite, il y avait un virage abrupt masqué par des massifs de bambous. Lorsque nous aperçûmes le barrage aménagé avec des branchages et des pierres, il était trop tard pour faire demi-tour.

Ils viennent tout juste de bloquer la route, ils ne sont pas loin, dit-elle, avez-vous apporté une arme ? – Un fusil automatique, idéal pour quelqu'un qui ne sait pas tirer. – Vous ne savez pas tirer ? Va pour le fusil automatique. On va les voir apparaître. Ils ne seront probablement pas nombreux. Surtout ne faites rien pour l'instant, je vais parlementer avec eux. En principe, ils n'ont pas d'armes à feu, ou presque rien, de vieilles pétoires, il faut juste espérer qu'il n'y ait pas de vrais fous dans la bande. Ceux-là, on leur tire dessus, ils se jettent sur vous quand même, car cela leur est égal de mourir.

Elle continua d'avancer au pas, actionna à trois reprises un klaxon dont la sonorité stridente rappelait les sirènes antiatomiques. La voiture s'immobilisa. De plus près, on constatait que le barrage était sommaire, on avait peut-être une chance de le franchir en fonçant droit devant, mais la manœuvre restait hasardeuse, on risquait de rester coincé.

On les vit sortir de derrière la barricade. Ils étaient une petite dizaine, armés de bâtons pour la plupart, donc ils n'avaient pas d'armes à feu. Valentina allait les attirer de son côté, Faites un tir de sommation s'ils font mine de venir dans votre direction. Elle entrouvrit sa portière d'un geste déterminé et lança d'une voix puissante, Stop ! Milice ! *Polizei ! Militia !* La petite troupe marqua un temps d'arrêt puis, avec hésitation, continua d'avancer dans sa direction.

Si cela va mal, dit-elle, j'aurai les premiers, mais il faudra que vous interveniez tout de suite.

Stop ! hurla-t-elle encore, dernière sommation ! Les vagabonds hésitèrent de nouveau. Il y aura des vivres et des couvertures chaudes pour tout le monde, mais reculez et dégagez le chemin !

Trois énergumènes continuèrent d'avancer sur elle. Ils étaient à deux mètres. Elle plongea la main à l'intérieur de son treillis, en ressortit une arme de petite dimension, un multilaser 77, qu'elle pointa sur eux sans un mot et appuya sur la détente à quelques reprises en décrivant un léger mouvement d'essuie-glace. L'arme était silencieuse, mis à part une note suraiguë que seule pouvait déceler une oreille avertie. Presque simultanément, les trois hommes se raidirent, comme s'ils avaient un moment de sidération, et comme dans un ballet bien réglé tombèrent face contre terre. Le reste du groupe s'immobilisa pour de bon. J'en profitai pour expédier un tir de sommation au-dessus de leurs têtes, en aboyant comme j'avais vu faire au cinéma, Vous autres, vous reculez, lentement et en restant groupés, vous me virez cette barricade et vous aurez les vivres dès que nous serons passés ! Exécution !

Quelques-uns préférèrent détaler en se jetant sur les bas-côtés. Les autres, attirés par la promesse de nourriture, s'empressèrent d'obéir et dégagèrent la route en moins de dix minutes. On passa. Quelques mètres plus loin, Valentina s'arrêta. Posément, elle sortit et fit le tour de la vieille Subaru, actionna la poignée du hayon qu'elle souleva, puis elle tira vers elle ce qui ressemblait à un sac de patates ou de charbon et le laissa tomber par terre. C'est pour vous, lança-t-elle aux vagabonds encore pétrifiés, et occupez-vous de vos amis, ils devraient revenir à eux d'ici une demi-heure. Elle remonta dans la voiture.

Ils reviendront à eux à condition d'avoir de la chance, ironisai-je. – Oui, s'ils ont de la chance, dit-elle en hochant la tête. – Le multilaser est un pistolet qu'on utilisait il y a dix ans dans la police de rue, et qu'on a retiré, car il faisait pas mal de dégâts, y compris chez de jeunes gens bien portants. Certains restaient paralysés, d'autres ne ressortaient jamais du coma. – Vous semblez bien au courant. – On en a beaucoup parlé à l'époque. – Les vagabonds sont souvent plus coriaces qu'il n'y paraît. À votre avis, aurais-je mieux fait de tirer à balles réelles ? De toute façon, je ne sais pas tirer, alors c'est une arme idéale pour moi, enfin, je veux dire, c'est la seule dont je sache me servir. – Ne soyez pas modeste, vous vous débrouillez fort bien, moi, je ne me suis jamais servi d'une arme de ma vie, sauf pour tirer en l'air. – Vous êtes sûr ? Cela voudrait dire que vous êtes vraiment un original.

Elle remit le moteur en marche et le laissa tourner un moment avant de passer la première, nous étions de nouveau en balade, nous avions tout notre temps. Elle venait de faire preuve d'un grand sang-froid, je lui en fis le compliment, On se demande si vous n'auriez pas fait une école de commando plutôt que le conservatoire. – Ne croyez pas ça, ce genre d'incident me stresse. Elle ferma les yeux, poussa un long soupir et sembla se détendre pour de bon, Ça ira maintenant, il n'y a pas de zone sensible avant les Mouettes, les clandestins évitent le secteur, c'est trop risqué pour eux. Comment le savait-elle ? Je suis de nature optimiste, dit-elle, de plus je connais le terrain, mais regardez de ce côté, vous voyez ces couleurs dans le ciel ? C'est un coucher de soleil comme on n'en voit pas deux fois dans l'année. Deux fois dans l'année ? Mais depuis quand se trouvait-elle dans la Péninsule ? – Oh, je ne sais plus exactement, on perd parfois la notion du temps, je dirais un an et demi, ou davantage. Elle confirmait ce que m'avait dit Ariston Pitt, mais j'avais peine à y croire. Elle dut lire la surprise sur mon visage, comment donc avait-elle pu survivre si longtemps dans cet environnement ? Je crois que l'air marin convient à ma carnation, plaisanta-t-elle, mais elle scruta à tout hasard son reflet dans le rétroviseur pour s'en assurer. Peut-être que les produits miracles de Gustav y sont également pour quelque chose. – Il vend des produits miracles ? – Oui, des fortifiants, des remontants, des trucs de ce genre. Ne vous fiez pas aux apparences, elles sont parfois trompeuses, j'ai l'air en parfaite santé, mais je vais peut-être moins bien qu'il n'y paraît. – Je ne sais pas ce que je dois croire de tout ce que vous me racontez, en fait je n'en crois rien. – Vous n'en croyez rien ? Vraiment ? Cela me convient parfaitement.

Nous étions revenus à la lisière de la ville, la silhouette noire des Mouettes se détachait dans le ciel. Au lieu de se diriger vers l'entrée du parking, sur le côté de l'hôtel, Valentina emprunta la petite allée en arc de cercle qui menait à l'entrée principale, comme le faisaient à l'époque les automobiles de tourisme pour permettre aux passagers de décharger les bagages à l'abri des intempéries, sous une marquise de béton aujourd'hui partiellement effondrée. Vous voilà arrivé chez vous, claironna-t-elle joyeusement, la Subaru de monsieur est avancée ! Il est superflu que vous m'accompagniez au garage, j'ai quelques affaires fastidieuses à régler avec le préposé. Et comme j'allais refermer la portière, À propos, que faites-vous ce soir ? Je croyais que ce trait d'humour n'appelait pas de réponse, mais elle insista, Il me faut absolument vous remercier d'avoir accepté cette corvée. – Pas du tout, j'étais enchanté de la balade, j'ai vu du pays. – J'allais vous proposer de m'inviter plus tard dans la soirée au Stardust. C'est un peu cher, mais je crois que vous en avez les moyens. – Cela dépend. Disons que oui. Mais c'est quoi le Stardust ? – Vous avez dû en entendre parler, c'est le lieu de nuit le plus chic de la région, c'est très agréable et ce n'est pas très loin. C'est d'accord ? Je passerai vous prendre vers vingt et une heures trente. Tenue de soirée si possible, vous avez ça ? – Un smoking Torrente ? – Ça ne va pas jusque-là. Je mettrai ma robe noire à motifs de l'autre jour, cela vous donne une idée générale.

6

Lorsqu'elle apparut, je notai de nouveau la façon qu'elle avait de se tenir debout et immobile, comme si les muscles de son corps étaient tendus pour le départ, un sprint ou un deux cents mètres. Lui arrivait-il de piaffer d'impatience ? Ou d'avoir les naseaux frémissants ? Je me dis qu'elle était d'une beauté singulière. Elle avait mis du rouge à lèvres et s'était maquillé les yeux. Par-dessus la robe noire à motifs annoncée, elle avait passé une veste en vraie fourrure, cela se voyait à l'usure, du renard peut-être, on se demandait où elle avait bien pu dénicher une telle antiquité, Il fait un peu froid ce soir, j'ai pris mes précautions et vous devriez faire de même.

Le Stardust se trouvait de l'autre côté du bassin, au-delà du pôle des Mimosas, c'était hors secteur, au lieu-dit de la pointe des Tempêtes. Pendant la journée on aurait presque pu s'y rendre à pied, il y en avait pour une demi-heure à peine. Le soir c'était autre chose, les *sauvages* trouvaient facilement à se cacher dans les environs et se rapprochaient à la nuit tombée, on apercevait leurs bivouacs au loin, dix jours plus tôt ils avaient attaqué un homme et une femme, des clients du Stardust complètement inconscients qui prétendaient rentrer aux Mimosas en marchant parce que la nuit était belle. Ils avaient été égorgés. Mais elle avait tout arrangé, Wilkinson a une tournée à faire de ce côté et il nous amènera en command-car, départ à vingt-deux heures. Et pour le retour ? Elle haussa les épaules, Pour les cas d'urgence et les clients les plus fortunés, le Stardust dispose d'une voiture avec chauffeur, moyennant gros pourboire bien sûr. Mais en général il y a toujours des gens pour nous ramener. Dans le pire des cas il faudra rester jusqu'au lever du jour.

Wilkinson nous attendait dans le hall avec ses hommes. Bonsoir Valentina, laissa-t-il tomber d'une voix de basse. Bonsoir monsieur, ajouta-t-il en me jetant un regard fuyant. C'était la première fois qu'il m'adressait la parole, dans les réunions il avait cette particularité de ne jamais ouvrir la bouche, je crois que je n'avais pas encore entendu le son de sa voix. Il observait à l'égard de Valentina un mélange de réserve, de respect et de familiarité, comme s'il y avait entre eux des sous-entendus de longue date.

Un des hommes était allé chercher le véhicule et nous attendait devant la sortie. Nous montâmes sur la banquette avant, Valentina au milieu, Wilkinson au volant. Il fallait entièrement contourner le bassin, emprunter le pont tournant pour atteindre le quai opposé, prendre la direction des Mimosas.

Après un périple cahotant le long de rues défoncées, on s'arrêta au bout du quai. Sur la droite, des rochers abrupts signalaient la proximité de la pointe des Tempêtes. Wilkinson, peux-tu attendre que nous soyons entrés avant de repartir, dit Valentina avant de sortir du véhicule. Une lune voilée par intermittence éclairait la masse rocheuse. Je finis par distinguer une faible lumière qui tremblotait sur un palier en haut d'un tortueux escalier de pierre. Valentina passa devant moi et me conseilla de tenir la rampe, les marches étaient irrégulières. Au terme de cette escalade, nous fîmes face à une lourde porte de métal rouillé enchâssée dans le roc. Elle actionna le heurtoir à trois reprises d'un geste précis et vigoureux. C'est une ancienne installation militaire, dit-elle. Un judas laissa entrevoir des reflets lumineux, et Valentina fit un signe de la main à Wilkinson qui répondit par un simple appel de phares. Le véhicule fit demi-tour et disparut.

La porte du Stardust ouverte, nous nous retrouvâmes dans une sorte d'antichambre face au portier, colosse taciturne, Bonsoir Valentina, dit-il simplement, je vais prévenir Donatien.

Djo, quelle bonne surprise ! Cela fait une éternité ! Il paraît que tu viens d'emménager aux Mouettes, alors nous sommes voisins ! Il devait s'agir de ce Donatien, un grand maigre au visage en lame de couteau dont le regard fixe démentait la jovialité de commande. J'appris ainsi qu'elle avait un surnom supplémentaire : Djo, pour Ordjonikidze, c'était un nom de scène. Donatien ! Toujours aussi élégant ! Il portait un habit sombre de bonne coupe, une chemise blanche et une cravate noire, l'uniforme des mondains, mais aussi celui des proxénètes et des gigolos. Il n'avait pas poussé le mauvais goût jusqu'à compléter sa tenue d'une chemise à boutons de manchettes.

On nous fit passer dans la pièce attenante, de grande dimension. C'était une salle de restaurant meublée et décorée avec sobriété, l'éclairage était savamment tamisé, le bruit amorti par la moquette et les tentures, on distinguait le chuchotement d'une musique apaisante. Les tables étaient suffisamment distantes les unes des autres pour atténuer les conversations des voisins. Au fond de la pièce un bar de grand style avec boiseries, cuivres, divers ustensiles en inox et une glace qui mettait en valeur l'alignement des bouteilles, millésimées ou exotiques, vraies ou fausses, whiskys rarissimes et portos centenaires. On nous donna une table en bordure de la grande baie vitrée qui donnait pour l'instant sur un grand trou noir où l'on imaginait l'océan. Valentina m'expliqua qu'il s'agissait d'un ancien bunker construit un siècle plus tôt à même le rocher puis laissé à l'abandon, mais les pièces étaient spacieuses et il avait suffi de percer de nouvelles ouvertures côté mer pour faire entrer la lumière. Côté ville, l'établissement passait inaperçu, les passants ne remarquaient rien, de jour la vieille porte en métal rouillé se confondait avec la falaise, elle semblait donner sur un local désaffecté.

Il y avait une trentaine de clients, répartis par tables de deux, trois ou quatre, qui conversaient à voix basse. Le Stardust était destiné à des personnes richissimes capables de dépenser quelques milliers d'UC dans la nuit sans même s'en rendre compte, mais on y trouvait également des gens simples qui, peut-être en fin de parcours, avaient décidé de se payer une soirée de rêve une fois dans leur vie. Malgré la demi-pénombre on pouvait constater que la plupart des clients avaient un âge avancé, il y avait quelques couples, les hommes étaient majoritaires. Soudain, il y eut un rire strident à l'autre extrémité de la salle, c'était une femme nettement plus jeune, la quarantaine peut-être, des cheveux blonds qui donnaient encore plus d'éclat à une magnifique robe de soirée d'un rouge provocant. Je demandai à Valentina si elle savait de qui il s'agissait, Oui, c'est une banquière qui a déjà eu son heure de gloire, elle a défrayé la chronique, ainsi qu'on disait alors, elle s'appelle Mathilde quelque chose, Van Meegeren je crois. Elle était d'une grande beauté, elle avait une fortune immense, il lui en reste un peu. – Mais vous connaissez décidément tout le monde ! – Je ne connais pas tout le monde, loin de là, je fréquente les lieux où je connais du monde, nuance. Il m'est arrivé de travailler dans cet établissement, vous voyez ce rideau grenat au milieu du mur en face, il cache une petite scène que l'on avance au milieu de la salle, j'y ai déjà donné des performances, des mini concerts, vous voyez ? Est-ce que vous aimez le sanglier ? – Je n'ai pas de préjugé dans ce domaine. – Tant mieux. C'est la spécialité du chef, il a inventé une demi-douzaine de façons d'accommoder la bête. Et vous savez pourquoi ? Les grands vins ne manquent jamais parce qu'on peut les stocker, mais les arrivages de viande sont aléatoires. On a beau être prêt à payer des fortunes, les approvisionnements sont incertains et parfois de qualité douteuse, les fournisseurs finissent par vous proposer des produits surgelés et des poissons bizarres, mais du sanglier il y en a toujours. Je vous conseille le civet de marcassin, il est à tomber par terre. Il est normalement servi avec des pommes rissolées et des épinards à la crème.

Pour le vin, ajouta-t-elle, voici la carte, vous verrez qu'elle est impressionnante, et par-dessus le marché la plupart des bouteilles sont encore disponibles. Vous vous y connaissez ? Oui, bien sûr, Jimmy Durante, c'est une tradition à laquelle on ne saurait déroger, l'homme choisit les vins, c'est la moindre des choses, surtout lorsque c'est lui qui règle l'addition. Consultez tout de même les prix à tout hasard pour éviter les mauvaises surprises. Je vous signale quelques grands crus de Californie et d'Australie ou alors, mais ce serait un grand coup de folie, le cabernet d'Abkhazie, j'ai oublié son nom bizarre, il leur en reste deux ou trois bouteilles, et si je vous en parle ce n'est pas seulement par esprit de clocher, c'est une merveille.

Un serveur apporta la bouteille de vin géorgien, car bien sûr, L'Abkhazie a TOUJOURS fait partie de la Géorgie, il la déboucha et versa précautionneusement dans une carafe le précieux liquide d'un rouge très chaud tirant sur l'orange. Il me le fit goûter et attendit mes commentaires au garde-à-vous, Oui, très bien, mélange de puissance et de subtilité, un arrière-goût acidulé qui vient tempérer une lourdeur presque terreuse, un vin en somme que l'on pourrait qualifier de dialectique, ma patriote géorgienne leva son propre verre pour saluer ma petite leçon d'œnologie, J'ai d'autant plus d'attachement à la Géorgie que je ne l'ai jamais connue, j'ai de vieilles cartes postales de Tbilissi datant du début du XXe siècle, cela me fait rêver, mais en fait mes parents ont toujours vécu en Russie. – Ils y sont toujours ? – Je ne sais pas, je souhaite pour eux qu'ils soient morts. Nous avons perdu le contact il y a dix ans.

Je n'allais pas me ridiculiser au point de lui avouer qu'elle m'intriguait, mais je ne trouvai pas de meilleure idée que de le lui déclarer, Vous savez que je vous trouve mystérieuse ? La formule a tellement servi qu'elle est passée dans le langage courant, elle n'est même plus ridicule, je vous le jure. – Vous vous en tirez plutôt bien. – J'ai du mal à comprendre ce qu'une femme comme vous fait ici. – Ici ? – Au royaume des morts-vivants. – Je suis là à cause de mauvaises fréquentations. Je côtoyais des gens qu'il ne fallait pas. – Je croyais les violoncellistes plus sages.

Oui, elle avait été une jeune femme très sage. À douze ans elle traversait la ville entière du nord au sud le violoncelle sur le dos pour aller prendre ses leçons chez un ancien concertiste célèbre, il avait un bel appartement donnant sur une station du métro aérien et un jardin peuplé de statues de marbre. Elle était entrée très jeune à la philarmonie, y était restée quelques années, mais elle n'était qu'une musicienne de pupitre, elle ne serait jamais soliste. Elle se consolait en jouant de la musique de chambre avec des amis, ils donnaient épisodiquement des concerts publics, tout cela restait bien confidentiel. Un jour elle s'était lassée de la philarmonie et s'était engagée dans une tout autre voie, une carrière de « chanteuse-au-violoncelle », sur des musiques de sa composition elle psalmodiait une langue qui ressemblait à de l'inuit mais qui n'en était pas, c'était une invention de son cru. Elle avait un certain succès. – C'est à cause du violoncelle que vous avez dû fuir et vous réfugier dans la Péninsule ? – Je crois que vous vous moquez. Non, je n'ai pas été persécutée à cause de mes activités de violoncelliste. Cela n'a rien à voir. Mon mari était accessoirement mon impresario, mais surtout un homme d'affaires important. Il a eu de gros ennuis, puis de plus graves encore, enfin il s'est suicidé. J'ai décidé de disparaître avant qu'on vienne me chercher pour m'amener où vous savez. Une histoire assez banale en somme. Regardez autour de vous, les gens que vous croisez pourraient vous raconter à peu près la même chose, on les poursuivait pour je ne sais quel acte répréhensible, ils ont préféré fuir. Des histoires interchangeables. Mais dites-moi, cher Jimmy Durante, quel malheur a pu pousser un intellectuel de votre espèce à émigrer parmi nous. – Mon existence ne ressemble pas à un roman, vous risquez d'être déçue. Je n'ai rien d'un aventurier, d'ailleurs vous avez pu le constater, je ne suis même pas doué pour les armes à feu. – Mais vous avez bien dû commettre un écart de conduite pour vous retrouver ici parmi nous. – Je n'ai rien fait de spécial, je suis seulement tombé du mauvais côté.

Elle leva délicatement son verre, l'inclina dans un sens puis dans un autre et sembla se perdre dans la contemplation des reflets du vin qui parfois tournait à l'ocre.

Dois-je comprendre, dit-elle finalement, que la malédiction peut parfois s'abattre également sur un officier des Organes à la carrière jusque-là irréprochable ? Est-ce votre cas, capitaine Durante ?

Pendant une seconde je restai saisi. Peut-être me vit-elle rougir, Vous m'avez pris par surprise, j'en conviens.

Je me repris, c'était ridicule, bien entendu je n'avais jamais eu la prétention de dissimuler mes antécédents, je préférais seulement éviter la question, il y avait des gens que ça mettait mal à l'aise. Aux Mouettes, beaucoup je suppose connaissaient mon passé, mais personne ne m'en parlait jamais. Selon une règle tacite que tout le monde respectait à la lettre, la vie d'avant était un non-sujet, elle n'avait jamais eu lieu. J'avais sans doute été un officier des Organes, mais cela ne voulait pas dire grand-chose, peut-être n'avais-je rien fait de mal ou de notable dans ma carrière, en revanche qui savait si Pomodoro n'avait pas tué dix personnes en les plongeant dans des bains d'acide. Pomodoro ou un autre. On préférait ne pas savoir.

Mais si je ne m'abuse, cela fait déjà plusieurs jours que vous savez des choses sur moi, n'est-ce pas ? – Peut-être, dit Valentina en affectant la froideur mais sans plus. Tout était dit, elle avait appris l'affreux secret et elle n'en faisait pas un drame, elle continuait à rechercher ma compagnie, cela ressemblait à un demi-aveu. Si l'on m'avait dit que je dînerais un jour en tête à tête avec un ancien officier des Organes, je ne l'aurais pas cru. En traversant la frontière il y a deux ans, je m'étais juré, si le hasard me mettait de nouveau en présence de ce spécimen d'humain, de le faire mourir lentement et un peu salement, c'est si facile ici de tuer sans laisser sa signature. Si l'on découvrait demain votre cadavre sur un terrain vague ou en rase campagne, il n'y aurait pas foule pour mener une enquête ou chercher à vous venger. Mais ne craignez rien, ajouta-t-elle cette fois avec un vrai sourire, ce n'était qu'une velléité, ça ne m'a pas duré, on finit par changer de point de vue à force de vivre dans cette région du monde. Se venger pour quoi faire et se venger de qui ? On n'en finirait pas. Oncle Ho me dit que vous êtes quelqu'un de bien, cela me suffit. Vous avez été fonctionnaire au ministère de la Sécurité, mais vous auriez pu être un ancien tueur d'enfants, un génocidaire en fuite, il est possible qu'on en croise dans la région et on leur serre la main. La situation me semble finalement plutôt ironique. Ne le prenez pas mal, mais je continue tout de même à me demander comment un être normalement civilisé a pu faire aussi longtemps un boulot aussi répugnant. – On le fait en pensant à autre chose.

Je réfléchis à voix haute.

C'est vrai, je tenais le rôle officiel du salaud, je devais l'admettre. Mais j'en avais fait moins que bien d'autres, j'avais réussi à ne jamais mettre les mains dans le cambouis, pas de travail de terrain, jamais d'interrogatoire ni de tabassage. Certains collègues ne faisaient que ça, surveiller, harceler, arrêter puis *travailler* les suspects pour obtenir leurs aveux. Je n'ai jamais vu un seul de *mes* suspects en chair et en os. J'étais un analyste, j'avais la charge des Données, argumentaires et synthèses, j'ai eu ainsi la responsabilité (au niveau du District Capitale) des statistiques concernant les *infractaires* (contrevenants sanitaires), je tenais le compte mensuel des interpellations réalisées, des enquêtes en marche, des mesures de relégation effectuées, des expulsions *simples*, des marquages électroniques (la puce). J'écrivis de petits manuels de caractère juridique à l'intention des hommes de terrain, car la loi changeait continuellement et ils avaient du mal à suivre. À l'ombre du fameux article 76, alinéa 3, la notion d'*infractaire* visant les malades et vieillards illégaux s'élargit d'abord à ceux qui les cachaient puis à ceux qui n'avaient pas dénoncé les précédents. Il fallut s'adapter. Je rédigeai une brochure du même genre à propos du délit de *comportement asocial*, bien difficile à gérer sur le terrain : la cigarette, l'alcool et les psychotropes n'étaient pas formellement interdits, seul leur *abus caractérisé* était passible de sanctions. Cela permettait d'interpeller à peu près tout le monde, mais justement il fallait faire preuve de discernement. On dira que ma prose contribuait à envoyer les gens derrière les barbelés, je répondrai que ces gens étaient déjà condamnés bien avant que des juges instructeurs me réclament des *éléments de preuve* pour étayer le dossier de l'accusation. Ma contribution anonyme ne changeait rien à leur destin. Les arguments que je fournissais n'étaient là que pour la forme, pour la décoration. Malgré mon grade et ma fonction officielle, je n'étais qu'un rouage dans la grande machine. Et tout le monde faisait partie de la machine.

Savez-vous ce qui nous demandait le plus de temps ? Les lettres anonymes et les dénonciations qui nous arrivaient chaque jour par centaines, mes hommes devaient dans un premier tri en éliminer les trois quarts pour ne retenir que les moins farfelues. Tout le monde dénonçait tout le monde, pour se venger, pour mettre la main sur le bel appartement d'un voisin, pour éliminer un concurrent, pour se débarrasser d'un amant de sa femme. Nous recevions assez d'éléments matériels pour interpeller le tiers de la population du District Capitale, nous n'en traitions qu'une petite partie faute d'effectifs, nous n'avions pas les budgets.

Il y avait forcément une part importante de hasard et d'arbitraire dans le système. Nous avions à disposition un arsenal juridique suffisant pour arrêter tout le monde, mais nous ne pouvions évidemment pas le faire, il fallait donc choisir. J'avais mes habitudes dans des lieux de nuit plus ou moins clandestins où les patrons, les serveurs et les femmes faisaient montre d'une grande générosité à mon égard. Quand j'avais vent de l'imminence de contrôles sanitaires ou comptables qui auraient à tout le moins conduit à la fermeture de la boîte, je les avertissais de manière qu'ils aient le temps de faire un grand ménage, d'éliminer les traces de tabac et de drogue, de maquiller leurs filles délurées en irréprochables jeunes dames. Au sein des Organes, tous les gradés faisaient de même, ils avaient leurs amis, leurs indics et leurs protégés, on fermait les yeux sur ces petits arrangements.

Vous allez bientôt me dire que vous avez sauvé beaucoup de gens, me dit Valentina sur un ton ironique. – Sauvé, sauvé, c'est un bien grand mot. Mais je n'étais pas un fanatique. – Je vous crois. Racontez-moi tout de même.

7

Un jour je fus abordé de manière inhabituelle.

Je m'étais rendu à la Maison de la Chine, cette annexe de l'ambassade où l'on organisait de grands événements commerciaux, des expositions, des réceptions moins protocolaires qu'à la chancellerie. Ce jour-là on fêtait la journée de l'Harmonie universelle, divers corps de métier dont le mien avaient été conviés à célébrer encore une fois rituellement la qualité exceptionnelle de notre coopération avec l'empire du Milieu. On avait bu avec modération du champagne de Tianjin, cuvée spéciale Deng[1], des bouteilles hors de prix, avalé des petits fours, nous nous étions tous félicités *in petto*, avec un sourire entendu, d'être de la fête et surtout d'y avoir été invités, preuve éclatante de notre importance dans l'organigramme de la Nomenclature. Une invitation officielle à la Maison de la Chine en de telles circonstances équivalait à la croix de guerre pour les militaires, cela confortait notre *intouchabilité*. Notre vice-ministre en second, un certain Brugwasser, avait porté le toast rituel auquel avait répondu l'inamovible numéro trois de l'ambassade, le toujours souriant Chen I Po, qui avait officieusement la haute main sur les services chinois de la diaspora

---

1. En l'honneur de Deng Xiaoping (1904-1997), dirigeant *de facto* de la République populaire de Chine de 1978 à 1992, instigateur des « quatre modernisations ».

et auquel chacun savait que notre direction des Organes venait rendre des comptes. Les ministres, les magistrats et tous les élus tremblaient devant lui. Il suffisait qu'il tourne son pouce vers le bas pour que les têtes tombent dans la sciure. C'est dans ce genre de célébration, me glissa Troubetskoï à l'oreille, que je suis heureux d'être un rouage obscur, c'est comme en classe, il faut éviter de s'asseoir au premier rang. J'approuvai d'un hochement de la tête sentencieux, il n'était pas recommandé de s'esclaffer ou même de sourire bizarrement pendant les cérémonies officielles.

Après la fin des discours, je respectai un délai de décence et attendis que d'autres invités commencent à quitter les lieux pour me diriger vers le vestiaire. Le bâtiment, l'un des plus somptueux hôtels particuliers de la capitale, était situé au cœur du centre historique en un lieu idéal surplombant le fleuve, il avoisinait d'autres nobles bâtiments, deux musées, une cathédrale, des sièges sociaux, des immeubles d'habitation aux façades ouvragées réservés aux dignitaires, aux oligarques, aux diplomates étrangers. Les arbres étaient centenaires.

C'était la journée de l'Harmonie universelle, donc un 14 février bien sûr, et en ce début d'après-midi il faisait un temps radieux. Le froid était vif, le pardessus et le cache-nez s'imposaient, mais le ciel était d'un bleu parfait comme cela se produisait à peine dix fois dans l'année. Je décidai de rentrer à pied en empruntant la voie sur berge, avec le projet de faire une halte au Millénaire ou au Strindberg dont les terrasses extérieures, même chauffées, devaient être à moitié vides par ce froid hivernal. La clientèle était de haut niveau et les femmes souvent très belles, cela tenait peut-être au fait que le café viennois y coûtait l'équivalent d'une journée de mon salaire. Mais, on l'aura compris, cela m'importait peu, j'avais d'autres sources de revenu.

Je connaissais le trajet de longue date, c'était l'un de mes préférés. Il y avait certes un peu de circulation, mais la vitesse était limitée à trente kilomètres à l'heure et les voitures étaient remarquablement peu bruyantes. Les promeneurs que vous croisiez étaient tous d'agréable composition : jeunes ou d'apparence jeune, élégants, en bonne forme physique. Pas de vieux, pas de vieilles, pas de vagabonds, bien entendu. Aucun irrégulier, aucun contrevenant ne se serait hasardé dans ce quartier, on l'aurait remarqué et signalé dans le quart d'heure. Si vous aperceviez un vieillard dans un fauteuil, poussé par une parente obséquieuse ou une infirmière pimpante, vous pouviez être sûr qu'il était en règle et qu'il avait tous ses papiers sanitaires, c'était forcément un haut dignitaire à la retraite, et donc pris en charge par l'État, ou alors un nanti capable de se payer un appartement dans le Rectangle royal et les soins d'une clinique privée qui vous engloutissait deux mois d'un petit salaire dans la journée rien qu'en hôtellerie. Il aurait certainement le privilège d'agoniser sans douleur chez lui ou dans une belle chambre avec vue sur jardin. Je me pris à songer absurdement que jamais la vie n'avait semblé si belle et ordonnée.

Finalement je m'arrêtai au Strindberg. Comme prévu, la belle terrasse à l'ancienne était à moitié vide. J'avisai une table à peu près à l'abri des courants d'air et me laissai caresser par le soleil hivernal. Un garçon apparut. Sans trop réfléchir, sur un petit coup de folie, je lui demandai un irish coffee. Bien monsieur, dit-il sans exprimer la moindre surprise. Il n'y avait que ces vieux établissements bourgeois pour continuer de mettre une boisson aussi délétère à leur carte. Mais puisqu'on la proposait à la vente pourquoi ne pas la commander ? On se faisait un peu remarquer, c'est certain, mais tant qu'on n'en consommait pas trois de suite, personne n'irait vous signaler aux autorités. Je connaissais les usages.

C'est alors que je l'aperçus, que je l'entendis plutôt. Elle avait pris place à une table voisine un peu en retrait, sans que je la remarque. J'entendis donc une voix qui me disait, Auriez-vous du feu, monsieur ? C'était une belle femme dans la quarantaine, une grande bourgeoise selon toute probabilité, d'ailleurs seules des femmes de ce genre, on le sait, fréquentaient le Strindberg. Vêtue d'un tailleur bleu nuit dont la jupe droite moulait sa silhouette, elle m'apparut comme la réincarnation d'une célèbre actrice du siècle précédent, héroïne mélancolique et tragique d'un film curieusement intitulé *La Vérité sur Bébé Donge*. Je ne fume plus guère, dis-je, à peine un cigare par semaine, mais j'ai conservé l'habitude d'avoir du feu sur moi, je ne sais pourquoi, peut-être pour ce genre d'occasion. Elle sourit poliment. Mais, ajoutai-je, à moins que vous n'attendiez quelqu'un, pourquoi ne pas vous joindre à moi, vous serez beaucoup mieux ici. Elle s'assit sans hâte, alluma sa cigarette à la flamme du briquet que je lui tendais, aspira tranquillement une première bouffée qu'elle rejeta entre ses lèvres entrouvertes en un filet de fumée qui s'éleva vers le ciel.

Il me vint soudain à l'esprit que je venais de la croiser, plus exactement que je l'avais aperçue au loin et de manière fugitive une demi-heure plus tôt à la réception des Chinois. Vous étiez invitée vous aussi à la Maison de la Chine, si je ne m'abuse. – C'est vrai. Mon mari avait un carton d'invitation, mais il n'a pas pu venir. Il est dans les affaires, vous voyez. – Je ne vois pas très bien, mais j'imagine. Donc notre rencontre n'est pas totalement due au hasard. – On m'a donné votre nom. Je cherchais un prétexte pour vous rencontrer. Je vous ai observé, il m'a semblé qu'on pouvait parler avec vous. – On me dit souvent que je n'ai pas l'air d'un flic.

Je venais de deviner pourquoi la belle inconnue me manifestait de l'intérêt. Quel était ce « on » qui lui avait parlé de moi ? Cela importait peu. Je n'étais certes pas une célébrité, mais peut-être son mari avait-il des relations y compris au sein des Organes, ou alors une amie d'une amie qui avait eu maille à partir avec mes services lui avait vanté les bonnes manières de leur chef. Cependant, même s'il s'agissait d'une quémandeuse, et c'en était une, elle n'avait pas le profil type, ainsi qu'on le disait dans nos bureaux. Les autres étaient terrorisés même s'ils tentaient de faire bonne figure, ils bafouillaient, rougissaient, prenaient mille détours avant de se décider à aborder le sujet d'une voix inaudible, semblaient vouloir se débarrasser de leur secret honteux sans qu'on les entende comme on le faisait autrefois au confessionnal. Elle parlait d'une voix posée, sans chercher à apitoyer. Il s'agissait de sa fille, âgée de dix-neuf ans, elle se dispensa d'ajouter, Vous savez comme sont les jeunes, elle dit seulement, Ma fille Dolorès a fait une bêtise qui peut être lourde de conséquences.

Ils habitaient un bel appartement dans le quartier des ministères. Dolorès occupait la double chambre de service au septième étage. Elle y avait caché un clandestin interdit de séjour dans la capitale et recherché par la police. C'était un jeune homme de vingt-cinq ans, le genre artiste, chanteur des rues, c'est-à-dire chômeur pour l'essentiel. Pour cause de séjour illégal en ville, il avait reçu un premier avertissement et avait été inscrit au fichier central. Il avait continué ses activités et ses déambulations comme si de rien n'était, avait été interpellé de nouveau, détenu quinze jours avant de recevoir un ultime avertissement solennel. À la prochaine infraction, il serait équipé de la puce dite irréversible, aucun chirurgien ne pourrait plus l'extraire sans risquer de bousiller son cerveau. Dès qu'il s'approcherait à moins de vingt kilomètres des grands centres urbains et des zones réservées, villégiatures, campus, parcs industriels de pointe, son signal apparaîtrait sur les écrans et le reste du temps on pourrait le suivre à la trace. Chaque fois qu'on voudrait le repérer, on n'aurait qu'à taper son numéro de série. Des dizaines de milliers de délinquants, j'en connaissais seulement le chiffre global, étaient ainsi *appareillés*, c'était un subtitut efficace et peu onéreux à la prison. Au lieu de disparaître et de chercher à se faire oublier, Frederik, comme il s'appelait, avait de nouveau enfreint les règles du couvre-feu, il était resté en ville, avait recommencé à chanter aux terrasses de café et à dessiner sur les trottoirs. Par altruisme et naïveté selon sa mère, peut-être sous l'aiguillon de la passion juvénile, Dolorès n'avait pas eu de meilleure idée que d'héberger ce Frederik. L'accès par l'escalier de service était discret, mais à force d'entendre des bruits inhabituels, les voisins avaient alerté le commissariat, les forces de l'ordre avaient interpellé le fugitif, on avait constaté un cas de récidive aggravée, et le jeune homme avait été immédiatement expédié dans une unité spécialisée où l'on *appareillait* les délinquants irrécupérables. Dolorès avait été placée en garde à vue, avait avoué tout ce qu'on voulait, elle était maintenant menacée d'une suspension de ses droits civiques de six mois et d'un avertissement en bonne et due forme qui figurerait sur sa fiche d'identité. Ma belle inconnue, dont j'appris au détour d'une phrase qu'elle s'appelait Camiri, Ingrid Camiri, alignait les mots d'un ton posé et avec un débit paisible. Un tel avertissement à dix-neuf ans, répéta-t-elle gravement, sans que les traits de son visage trahissent la moindre émotion, mais au même moment, elle avait les yeux embués de larmes. Elle se reprit, Excusez-moi, ce n'est pas dans mes habitudes, mais vous comprenez, cela la suivra toute sa vie. Quelques personnes savent déjà qu'elle a été interpellée, l'incident va s'ébruiter, ce sera une catastrophe pour mon mari, une catastrophe pour tout le monde, et tout ça pour une bêtise de jeunesse. Cette fois, plusieurs larmes de belle dimension roulèrent sur les joues de Mme Camiri sans qu'elle fasse le moindre effort pour les retenir. Je lui tendis un mouchoir, Excusez-moi, dit-elle de nouveau, je suis confuse.

L'affaire était grave mais pas inextricable. Les solliciteurs qui jetaient leur dévolu sur moi avaient pour la plupart des problèmes autrement insolubles : ils cachaient chez eux un vieux géniteur ou une belle-mère en fin de vie, ou un parent atteint d'une maladie grave, s'imaginaient en toute candeur pouvoir régulariser leur situation. Quand ils venaient me voir, ce n'était pas pour qu'on ferme tes yeux leur manque de civisme et qu'on en efface toute trace dans les registres, mais pour obtenir le droit de garder l'*infractaire* à la maison, au mépris de toutes les réglementations. La demande était exorbitante. Pour arriver à un tel résultat, il aurait fallu tirer d'un chapeau de magicien une carte Santé Plus portant comme par hasard la photo, l'identité et les coordonnées biométriques du parent concerné, mais de telles fausses cartes n'existaient pas, ou alors il aurait fallu procéder à une pure et simple substitution à l'intérieur du fichier central, récupérer avant qu'ils ne soient supprimés de l'ordinateur les papiers d'un mort de la journée, à la condition que les caractéristiques, âge, sexe et tout, soient à peu près compatibles, un exercice plus qu'incertain car la nouvelle identité ne résisterait jamais à un contrôle approfondi. Les fonctionnaires qui avaient accepté pour de grosses sommes de procéder à ces manipulations avaient fini en camp de travail.

Dans le cas présent, même si le délit de complicité avec fugitif n'était pas anodin, on pourrait sans doute arriver à en supprimer la trace. Scénario n° 1 : on réussissait à éliminer le nom de Mlle Camiri de la procédure, on se contentait de mentionner le lieu et l'adresse de l'interpellation de ce Frederik. N° 2 : oui, celui-ci se trouvait dans le studio de Dolorès, mais il s'y était introduit à l'insu de son occupante, ce qui la mettait hors de cause. N° 3, oui, elle avait hébergé le délinquant, mais elle avait été abusée et elle ignorait tout de ses condamnations antérieures.

J'avais besoin de détails. À quand remontait l'interpellation ? À cinq jours. Dans le quartier des ministères, bien. Comme il s'agissait d'un secteur éminemment névralgique, les dossiers y restaient une dizaine de jours avant de remonter vers le fichier central, histoire de vérifier si l'on n'était pas en train de commettre une bavure administrative, par exemple de marquer à vie le fils d'un vice-ministre, ou de retenir contre son gré le neveu du boss respecté d'une puissante triade (chinoise, par conséquent). Est-ce que Dolorès était déjà passée à l'identité ? Mme Camiri me jeta un œil interrogateur, il s'agissait d'un enregistrement avec scanner en plan américain, qui permettait par la suite à toutes les caméras de contrôle de repérer instantanément, à la demande, tel ou tel individu répertorié, même au milieu d'une foule. Le système était quasiment infaillible et les données indélébiles. Elle y est allée, je crois, laissa tomber Ingrid Camiri d'une voix funèbre.

Ce n'est peut-être pas plus mal, lui dis-je en finissant de savourer à la petite cuiller la crème fraîche de mon irish. Bien sûr, cela voulait dire que la procédure était relativement avancée, mais en même temps que toutes les pièces avaient été réunies sous une cote unique mais sans avoir dépassé pour l'instant le niveau local. Le dossier n'était pas encore remonté au sommet et n'avait donc pas été gravé dans le marbre. Une fois inscrites au fichier central, les données devenaient pratiquement ineffaçables, personne ne pouvait plus les manipuler ou les détruire sans laisser de trace. Des éléments d'enquête immobilisés à un niveau local, c'était comme un suspect dans un commissariat de quartier avant l'arrivée du procureur, il suffisait de le faire sortir par la porte de service, le suspect n'avait jamais existé et l'affaire était close.

La grande bourgeoise échappée de *La Vérité sur Bébé Donge* touilla elle aussi ce qui restait dans sa tasse à café, posa sa cuiller et regarda pensivement devant elle en joignant un temps ses mains pour y poser le menton. Ma fille est terrorisée, bien sûr, dit-elle comme pour elle-même. Là-dessus elle posa sa main droite aux doigts effilés sur la mienne avec une douceur infinie.

Je ne lui avais rien promis, sinon de voir ce que je pourrais faire. Par chance et pour des raisons professionnelles, j'avais de bonnes relations au sein du district n° 8, le fameux quartier des ministères. Le dossier Camiri était somme toute à ma portée, le délinquant avait été dûment interpellé et envoyé au marquage, la loi avait prévalu, la jeune fille de bonne famille avait fait amende honorable, elle ne menaçait pas l'ordre social, elle avait eu sa leçon. Après les heures de bureau, je rendis visite à mon vieux copain MacGavulin, gratte-papier en chef comme moi, mais à un échelon local, pour le seul district n° 8. Nous nous connaissions de longue date et nous étions parfois rendu mutuellement service en court-circuitant la ligne hiérarchique, sans pour autant en venir jamais aux confidences. Si je lui donnais un coup de main et si lui faisait de même, c'était officiellement pour les besoins d'une enquête et par souci d'efficacité. Jamais il ne m'aurait dit, File-moi le dossier X***, c'est un lointain cousin de ma femme, je dois le tirer du guêpier où il s'est fourré, chacun invoquait un prétexte administratif vraisemblable.

Je restais moi aussi sur ma réserve, ni l'un ni l'autre ne cherchait à en savoir davantage.

Le plus naturellement du monde, je lui expliquai que j'avais besoin d'un coup de main, il s'agissait de l'affaire Frederik Hoffmann, le fugitif qu'on avait attrapé la semaine précédente, oui, dans le studio de cette Dolorès Camiri. D'un côté, il s'agissait d'une accusation bénigne et tout portait à croire que la jeune fille avait agi de bonne foi ou par naïveté. De l'autre, Ferdinand Camiri, le père, un industriel important, avait des contrats avec le ministère de la Défense (j'inventais un peu), l'homme avait le bras long, personne n'avait intérêt à faire du zèle pour si peu de chose. J'ajoutai qu'en haut lieu, sourire entendu, on avait suggéré de transférer le dossier Dolorès dans mon service, au chapitre des dossiers en attente. Ce que je demandais était plutôt banal. MacGavulin haussa les épaules avec indifférence. Il fit apparaître le fichier sur l'écran puis, pianotant sur le clavier, le fit défiler à toute vitesse. Il y avait tous les détails : les antécédents du récidiviste, les images de son arrestation ainsi que celle de Dolorès, ses aveux face à la caméra. Et enfin l'identité biométrique complète, qui n'attendait plus que le feu vert pour rejoindre le fichier central, où elle serait homologuée. On ne pourrait plus jamais l'effacer, n'importe quel agent assermenté aurait accès à ses faits et gestes, il lui suffirait de taper son code pour avoir la liste complète de ses apparitions sur les captations opérées dans les rues, les gares, les aéroports, les grands magasins, les églises, les salles de concerts et autres lieux publics. Un jour ou l'autre, elle piquerait une tablette de chocolat, elle fumerait dans un lieu interdit ou elle aurait une conduite immorale en public, et elle remettrait en marche la machine infernale.

Tu opères une extraction sans copie depuis ton disque et tu me mets le fichier sur une clef, dis-je à mon collègue. On avait déjà opéré des manipulations de ce genre, il n'y vit pas malice, il n'y avait là rien de grave et il n'avait aucune raison de se méfier. Il était discret, comme je l'étais moi-même, nous ne parlions jamais de notre travail en dehors du bureau et personne ne sut jamais rien de l'incident Camiri. On n'entendit plus parler du dénommé Frederik Hoffmann, bien entendu, ces gens-là n'avaient pas une grande espérance de vie après le marquage, au fond des banlieues ou de la Plaine. Même dans les zones non réservées à peu près personne n'acceptait de les embaucher une fois constatée la greffe de la puce, ils devenaient hommes de peine, clandestins, ils sombraient dans la misère ou dans la délinquance.

J'aurais pu me contenter de faire discrètement savoir à Ingrid Camiri que la procédure était interrompue, qu'elle n'avait plus à s'en inquiéter. Je poussai la conscience professionnelle jusqu'à lui rapporter en personne la clef contenant la copie unique du dossier de sa fille. Rendez-vous fut fixé à la buvette du Higgins Park, située à l'écart de l'agitation urbaine et peu fréquentée en dehors des week-ends. La terrasse bordait un petit étang à canards surplombé par un énorme rocher couvert de végétation et par les branches de saules pleureurs qui plongeaient de toute leur longueur dans l'eau.

Je lui conseillai de ne pas laisser traîner la clef, et même de la détruire. Elle me demanda si on pouvait simplement la brûler, peut-être que la flamme du briquet suffirait. Je confirmai : c'étaient des clefs de mauvaise qualité, après vingt ou trente secondes de ce traitement elles seraient inutilisables et leur contenu illisible. Elle exécuta l'opération devant moi, me consulta du regard, tordit encore un peu plus le petit bout de plastique et de métal léger et le lança dans l'eau.

Pour la seconde fois en dix jours elle posa sa main sur la mienne, me demanda sur un ton attentionné si j'avais des obligations cet après-midi-là, Vous savez qu'on a ouvert juste de l'autre côté de ce rocher un charmant bistrot avec une terrasse vitrée et une vue adorable sur l'étang, j'aimerais vous inviter à déjeuner. Vous me direz alors, la caresse de sa main se fit un peu plus insistante, pourquoi vous avez fait cela pour moi et comment je pourrais vous payer de retour.

8

Dois-je comprendre que vous profitiez à l'occasion de femmes qui avaient le malheur de tomber dans la catégorie des suspectes ?

Le persiflage de Valentina ne réussit même pas à me vexer. Cela avait pu m'arriver, bien entendu, mais moins qu'à d'autres, et puis de quoi parlait-on ? De jeunes femmes de la haute société venaient dans votre bureau intercéder pour un père cancéreux ou un frère atteint d'une maladie contagieuse et, avant même qu'il soit besoin de leur suggérer quoi que ce soit, elles indiquaient par leur attitude qu'elles étaient prêtes à tout pour épargner l'expulsion sanitaire à l'infortuné parent. Ces occasions étaient monnaie courante, elles étaient à la portée de tout agent un peu gradé. Au sein de la bonne société et de la Nomenclature, on tenait pour acquis que l'on pouvait corrompre les officiers des Organes avec l'argent ou le sexe, tout le monde avait intégré ces données, on savait qu'on aurait à payer le jour où l'on voudrait à tout prix éviter la déportation à la cousine Bette. Il régnait autour de nos bureaux une discrète mais perpétuelle effervescence. Aux étages opérationnels ou dans les ascenseurs de la Tour d'émeraude, on croisait de mystérieuses visiteuses qui n'auraient pu être confondues avec le personnel féminin de la maison. Certaines essayaient de se rendre invisibles, de se fondre dans le flot humain, d'autres regardaient droit devant elles avec la morgue du désespoir. Quelques officiers refusaient toutes les avances et les pots-de-vin et jouaient les incorruptibles, ils avaient de vieux comptes à régler avec les bourgeois et souhaitaient les voir tous crever, certains étaient des Torquemada de naissance, ils rêvaient de faire table rase du vieux monde et de mettre au pouvoir la pureté prônée par la propagande du Comité mondial de la santé. Mais ces purs et durs constituaient une petite minorité. Tous les autres étaient corrompus à des degrés divers. Beaucoup dans mon genre se contentaient de profiter de la situation, ils n'utilisaient jamais la violence ni la menace, mais puisqu'on leur faisait spontanément d'aussi alléchantes propositions ils auraient été idiots de s'en priver. Si on leur offrait deux mille UC pour intervenir dans une procédure, placer un dossier sous la pile de manière qu'il ait une chance de ne jamais remonter à la surface, ils empochaient les billets mais sans exiger de rallonge. Si la mère venait s'offrir de bon cœur, ils ne réclamaient pas la fille aînée. D'autres faisaient tout cela et bien pire encore, on voyait à l'œuvre de véritables sadiques, des psychopathes. On les saluait aimablement quand on les croisait, on feignait la bonne camaraderie, mais on ne cherchait pas à les fréquenter, on ne leur confiait jamais rien. Le plus notable de cette bande d'anormaux avait pour nom Arthur Dombrovski. Il était déjà vieux, soixante ans ou plus. Il était corpulent, buvait avec excès et fumait le cigare dans son bureau en se contentant d'actionner la ventilation. Vu son régime de vie, on s'attendait d'un jour à l'autre qu'il meure subitement d'un arrêt du cœur. Mais c'était une force de la nature, il était le premier arrivé au bureau tous les matins à huit heures et demie, ne repartait jamais avant dix-neuf heures, et encore c'était pour faire une tournée en ville des lieux réputés suspects ou pour se soûler avec ses indics dans les bas-fonds jusqu'à plus d'heure. Tout le monde craignait Dombrovski, c'était une brute, on l'avait surnommé le Bouc. Il était doté, ou affligé, d'une sexualité hors normes. Il avait eu beau la veille participer à une partouze monstrueuse, il pouvait être repris par le démon dès onze heures du matin, il fallait à tout prix qu'on lui trouve une femme, ou plutôt il s'en trouvait une vite fait bien fait, une ancienne, une régulière, une nouvelle, une fonctionnaire, une téléphoniste, une suspecte, peu importait, quelqu'un devait le soulager de son accès de priapisme. Mis à part ces traits de caractère singuliers, Dombrovski était d'un abord convivial, ses hommes lui vouaient une loyauté à toute épreuve. Il avait le grade de commandant et à ce titre s'était vu attribuer à la lisière des beaux quartiers une maison particulière, de petite dimension mais pourvue d'un véritable jardin sans vis-à-vis, un privilège rare. À ma connaissance, il n'avait pas de famille, il habitait seul et n'utilisait guère que deux pièces au dernier étage. Le reste de la maison servait aux divertissements nocturnes. De temps à autre, il organisait de véritables bacchanales et ne manquait pas de nous inviter, moi et d'autres collègues, s'il nous croisait dans les bureaux. Vu son grade et la peur diffuse qu'il inspirait, il était difficile de refuser. Et puis en avait-on vraiment envie ? Les femmes qui participaient à ces soirées pouvaient être de belles bourgeoises contraintes et forcées car de lourdes accusations pesaient sur un proche, ce pouvait être leurs filles, elles étaient là pour des raisons analogues, il y avait en petit nombre des collègues femmes de bureau qui venaient là par vice, par amour ou parce qu'elles étaient soumises à je ne sais quel chantage de la part d'un collègue ou d'un supérieur, il y avait aussi de jeunes catins ambitieuses qui jugeaient excitant, profitable ou simplement prudent, de prendre comme amant un jeune gradé des Organes porteur d'avenir. Peut-être le puritanisme officiel régnant sur la bonne société et la Nomenclature avait-il pour résultat d'exacerber les sens. Je n'excluais pas que certaines femmes de la haute soient venues là de leur plein gré, juste pour le frisson, en raison de l'ennui mortel qu'elles éprouvaient chez elles. Victimes ou consentantes, certaines d'entre elles étaient sidérantes par leur beauté et leur soumission. La première fois cela me fit horreur, mais après tout, je n'étais comme les autres qu'un petit chef sans envergure, et à force de côtoyer des collègues incultes ravis de leur uniforme et de leur pouvoir de nuisance, j'avoue avoir parfois éprouvé du plaisir à tout ça, aux femmes soumises et aux bourgeois tremblotants, il y avait une subtile jouissance à inspirer une peur qu'on n'a même pas souhaitée.

Et cette Ingrid Camiri, vous l'avez emmenée dans les soirées de Dombrovski ? Nous avions terminé le foie gras d'oie *produit en plein air dans la meilleure ferme de la Péninsule* qui s'était révélé exquis et on allait apporter le plat principal, le marcassin pour moi, les rognons à la moutarde pour Valentina.

Non, je n'ai jamais emmené Ingrid chez Dombrovski ni dans aucun autre endroit de ce genre. Elle prétendit un jour que je l'excitais justement parce que j'étais de la Sécurité, mais c'était dans le feu de l'action. Nous avons vécu une histoire d'amour. Son mari voyageait pour son business, nous nous retrouvions dans son appartement si joliment décoré. Cela dura six mois. Le mari revint. J'aurais pu profiter de la situation, d'autres l'auraient fait, monter une machination contre l'époux et le faire arrêter, lui extorquer de grosses sommes, les plonger dans le malheur. Je n'en ai rien fait. Je n'avais pas de mérite, je n'en avais même pas envie, faire le mal pour le mal ne me procurait aucun plaisir.

En somme elle a eu de la chance de tomber sur vous, les agents des Organes que j'ai croisés à l'époque n'étaient pas tous aussi galants ! L'ironie était moins légère. Je haussai les sourcils en signe de scepticisme, Hélas, il s'agissait d'une loterie, les agents des Organes étaient aussi divers que l'humanité elle-même, certains étaient des ordures, d'autres des Frères prêcheurs, et les Frères prêcheurs étaient souvent les plus terrifiants, les dossiers aboutissaient dans mon bureau ou dans celui du voisin selon une logique pas très claire, la nature du délit supposé, le lieu de résidence du suspect, le hasard, personne ne contrôlait complètement le circuit, on ne pouvait pas dire, Tiens ce dossier m'intéresse, mettez-le de côté pour moi, je m'en occuperai. Il fallait laisser faire la machine. Même si je vous avais connue, je n'aurais peut-être rien pu faire pour vous. – Oh, personne ne pouvait rien faire pour moi, le dénouement était écrit. J'avais des relations, un peu d'argent, j'ai payé. J'ai passé la ligne le plus simplement du monde cachée dans un camion de l'inspection nucléaire. À l'époque c'était le moyen le plus sûr, le plus cher aussi, une petite fortune. Vous connaissez ? – Oui, je connais. Vous vous êtes payé le voyage en première classe. Vous aviez vraiment beaucoup d'argent. – J'avais beaucoup de bagages.

Elle s'arrêta, goûta légèrement le vin, reposa le verre et eut un moment d'arrêt, un œil soucieux fixé sur le dos de sa main gauche, les longs doigts déployés pour inspection. Je n'avais pas remarqué à quel point elle s'était fait les ongles à la perfection, longs mais pas trop, impeccablement vernis d'une laque rouge Pompéi assortie à ses lèvres. Mais justement, elle venait de constater que l'ongle de l'auriculaire était légèrement ébréché, ce qui semblait la contrarier. Elle fouilla dans son sac. Vous regardez comment je me suis fait les ongles ? – Oui, cela ne se pratique plus beaucoup, c'est pourquoi je regarde. – C'est la seule raison ? – Pas vraiment. – L'homme avec qui je vivais, mon mari n° 1 si vous voulez, avait des exigences, j'ai beaucoup appris avec lui.

Après avoir distraitement fouillé le fond de son sac de deux doigts nerveux et agiles, elle finit par en extraire une lime à ongles et entreprit de réparer la fissure naissante.

Avez-vous déjà entendu parler de l'affaire Luciano Negroponte ?

Je me figeai de nouveau, comme un enfant surpris en train de voler dans le sac à main de sa mère. La conversation prenait un tour vraiment très concret. Je respirai profondément et retrouvai un ton à peu près désinvolte, Chère Valentina, qui n'a pas entendu parler de l'affaire Negroponte ?

Un scandale retentissant. La chute de l'empereur du luxe. Negroponte, l'une des plus grosses fortunes du pays. C'était un génie de la finance, un stratège, un tueur au sang froid. Il avait fait son chemin sans s'embarrasser de scrupules, souvent à la limite de la légalité mais jamais au-delà, en tout cas jamais pris en défaut. Aucun de ses concurrents n'avait jamais réussi à obtenir gain de cause contre lui devant les tribunaux. Negroponte était un grand maigre à la peau vérolée dont je voyais la photo dans les magazines people à l'époque de ma période dentiste, festivals du film, premières à l'Opéra, inaugurations de musées. Je trouvais l'homme antipathique avec son smoking, ses limousines, son *five-o'clock shadow* de tueur prétentieux, mais sans y prêter attention. Quand il était tombé, l'événement avait fait sensation, on ne pouvait pas y échapper, personne ne voulait rater la descente aux enfers d'un personnage aussi riche et puissant, arrestation, menottes, fourgon cellulaire, remise en liberté provisoire avec barbe encore plus drue, nouvelle arrestation. Suicide.

Vous vous souvenez qu'on parlait également d'une femme dans cette affaire Negroponte ? On la recherchait. On l'avait interpellée. On la cherchait de nouveau. – Non, je ne me souviens pas. – La femme, c'était moi.

La « violoncelliste venue d'ailleurs », comme la surnommaient les critiques, se produisait dans des salles de concerts confidentielles, au musée d'Art moderne, dans des soirées privées. Un soir d'été, à la fin de sa prestation sur le toit-terrasse de l'hôtel Majestic, cet homme dont elle ne savait rien, pas même qu'il était l'un des plus riches du pays, lui proposa de prendre sa carrière en main et lui demanda de l'épouser.

Il était très séduisant, mais elle n'aimait pas ses manières. Elle lui rit au nez, il la poursuivit de ses assiduités, lui fit envoyer des fleurs tous les jours. Elle tomba amoureuse, sous-loua son vieil appartement, emménagea chez Negroponte dans un palazzo du XVIIIᵉ siècle donnant sur un jardin en pleine ville. Elle continua à jouer dans des salles pour happy few et les musées d'art contemporain. Negroponte avait de la culture et de l'intelligence, mais il aimait la compagnie des voyous, des aventuriers, des joueurs. Vous connaissez ma femme, Valentina, c'est l'intellectuelle de la maison, ironisait-il, mais tout le monde voyait qu'il était fou d'elle. Ses copains et lui adoraient la boxe. Elle insista pour l'y accompagner et y prit goût, Cela me change, disait-elle, peut-être même que cela m'excite. Luciano, dit-elle rêveusement, était mon double inversé, il était aux antipodes de mon univers, c'est pourquoi je le trouvais si excitant. Il était très attentionné et très dominateur, il me disait comment je devais m'habiller, m'interdisait les pantalons et les collants, le porte-jarretelles était de rigueur, c'est une habitude que j'ai gardée. Je vous avouerai que d'aller à des matchs de boxe sans culotte, avec tous ces hommes autour, cela me faisait de l'effet.

La première bouteille de vin géorgien était vide, elle me suggéra d'appeler le serveur pour qu'il nous en apporte une deuxième.

Elle poussa un soupir, mais de bien-être, Cet endroit n'est-il pas en tout point délicieux, que pouvons-nous souhaiter de mieux ? Regardez plutôt ! Elle désigna, juste au-delà des barrages laser, une masse lumineuse qui venait de faire son apparition. C'était un ferry-casino géant comme il en passait régulièrement, mais celui-là paraissait plus gros, plus incandescent que tous les autres. Allons sur la terrasse, dit Valentina, oui, la terrasse juste à côté, elle est fermée la nuit, mais ça ne les dérange pas et on verra mieux, d'ailleurs j'ai envie de fumer une cigarette.

Elle fit un signe au maître d'hôtel et m'entraîna vers une sortie latérale, qui menait à un couloir tarabiscoté au bout duquel un escalier de quelques marches débouchait sur la terrasse en question, un espace réduit avec quelques tables. Elle était déserte et à l'abri du vent. Dans le lointain, le bateau étincelait comme une cassette de bijoux précieux, d'autant plus étrange qu'à cette distance il paraissait totalement silencieux comme dans une scène de cinéma muet.

Embrassez-moi encore, dit Valentina, j'ai oublié comment c'était.

Je m'exécutai de bonne grâce et de nouveau ma main explora la souplesse de cette taille parfaite, avant de descendre lentement sur la hanche, puis de se glisser sous le tissu soyeux de la robe noire. Au-dessus de la lisière des bas, je retrouvai la peau nue. Je l'admets, me souffla-t-elle à l'oreille, j'ai mis une culotte, mais cela ne devrait pas poser vraiment de problème, prenez-moi maintenant, je vous en prie, Jimmy, et elle releva le devant de sa robe jusqu'à la taille pour m'inciter à agir.

9

Branle-bas général aux Mouettes. Quelqu'un cognait à ma porte comme un malade. Je consultai ma montre, il était onze heures et demie. Valentina s'était éclipsée pendant mon sommeil, elle n'était plus là, elle semblait avoir effacé en partant toute trace de son passage à l'exception de son parfum. Nous avions dû rentrer du Stardust à trois heures du matin, pour la suite je ne savais plus très bien. Je me traînai jusqu'à la porte que j'entrouvris pour découvrir la face rubiconde de Girolamo Pomodoro, T'étais dans le cirage ou quoi ? On t'a glissé un message sous la porte ce matin, tu ne l'as pas vu ? Rendez-vous à midi au rez-de-chaussée, c'est-à-dire dans trente minutes *pünktlich*, tout le monde sur le pont !

Sur le palier je finis par comprendre après avoir appuyé avec insistance sur le bouton d'appel que les deux ascenseurs étaient hors service. Il me revint à la mémoire qu'ils l'étaient déjà la nuit précédente, Je suis désolé, mais il va falloir monter à pied, avait dit le vigile, il y a une coupure générale d'électricité. Je me souvenais maintenant, nous avions mis un temps fou à monter les huit étages, Valentina et moi, nous avions refait l'amour au cinquième ou au sixième.

Il y avait un véritable attroupement au rez-de-chaussée. Ah ! vous voilà jeune homme, plaisanta l'Oncle Ho avec bonne humeur, deux minutes de plus et vous étiez en retard, évitez à l'avenir de faire la fête au Stardust la veille d'une panne générale d'électricité ! Bon, je crois que nous sommes au complet, on peut y aller.

Oncle Ho était toujours au courant de tout ce qui se passait. Mais en l'occurrence il n'avait pas eu à chercher bien loin, les vigiles nous avaient vus rentrer et savaient d'où nous venions.

La sortie prévue devait être exceptionnelle car devant la porte nous attendaient le command-car et la jeep à six places. On ne sait pas exactement où l'on mettra les pieds, me dit Pomodoro, alors on prend quelques précautions, Wilkinson emmène trois hommes avec lui et conduira la jeep. Il m'expliqua de quoi il s'agissait. Vers une heure du matin, l'électricité avait brusquement cessé. Il n'y avait pas de court-circuit ni de problème de surcharge, la panne venait de l'extérieur, des lignes de transmission ou des éoliennes elles-mêmes. En pleine nuit on avait dû remettre en marche le groupe électrogène uniquement pour assurer le fonctionnement des pompes à eau et du système de sécurité, interdiction de brancher l'éclairage, le chauffage ou les ascenseurs. Les branchements des câbles d'alimentation de l'hôtel étaient en bon état, les câbles eux-mêmes étaient enterrés profondément sur tout le parcours, le problème semblait donc venir du site et on y allait sans tarder. Peut-être faudrait-il trouver des hommes pour accomplir le travail, on irait les chercher au Meat Market, on les ramènerait dans la jeep. Ainsi ils se mettraient au boulot dès le lendemain matin. Mais tout cela nous obligeait à traverser des zones incertaines.

Dehors c'était la tempête, rafales de vent et bordées de pluie. Le vent vient du nord, il fera beau dans deux heures, dit le Commandant. Il vient de la mer, ça va durer toute la journée, pronostiqua Pomodoro. Notre petit convoi se mit en mouvement à la queue leu leu, direction sud-sud-ouest, et l'on se retrouva bientôt en rase campagne. Les vraies *terres noires*. À perte de vue, tout était sombre, les carcasses de maisons, la terre, les rochers, les squelettes d'arbres qui avaient échappé aux coupeurs de bois. Personne ne venait plus ici, pas même les vagabonds les plus affamés, à cause de la contamination visible à l'œil nu. On se rapprochait du *périmètre rouge*, là où avaient directement atterri pendant les premières semaines les pluies de particules radioactives. Lorsque le cœur des réacteurs avait fondu à tour de rôle en répandant leur lave, le feu avait tout rasé dans un rayon de deux kilomètres avant de se propager au gré des vents à travers la Péninsule. En direction du sud, de ce côté, la côte était aussi noire que le reste. Si l'on se rapprochait à moins de mille mètres des réacteurs, on pouvait sentir la chaleur qui continuait à en émaner. Qui est allé récemment voir ce qui s'y passait ? demanda le Commandant. – À ma connaissance, répondit Pomodoro, cela fait des années que personne n'y a mis les pieds. – Alors que font les soi-disant inspecteurs de la Commission de contrôle ? – Ils ne font rien, ils se contentent de mesurer le taux de radioactivité à distance, à peu près où nous sommes aujourd'hui, ils notent les résultats et ils retournent à leurs trafics, c'est un job en or. On ne peut pas leur donner tort : à quoi servirait d'aller inspecter des réacteurs qui ne menacent plus personne et qui continueront à se consumer à petit feu pendant les trente ans à venir ?

À un carrefour Pomodoro hésita puis s'engagea dans un petit chemin qui bifurquait à angle droit en direction de la mer et débouchait sur un terrain vague, il avait été épargné par la marée de suie noire mais était jonché de détritus. Au bout du terrain un dénivelé abrupt de trois mètres menait à une plage de galets et, au-delà, au parc d'éoliennes. Il y en avait une douzaine. Pourquoi donc avoir fait du renouvelable juste à côté de la plus importante concentration nucléaire du pays ? Réponse de

Pomodoro, Il ne s'agissait que d'un projet expérimental, la région était tellement déprimée économiquement qu'aucune entreprise ne voulait s'y implanter, les pouvoirs publics avaient investi dans ce petit programme d'éoliennes pour stimuler un peu l'activité économique et distraire les écologistes qui du coup cessèrent de manifester pour réclamer la fermeture de la vieille centrale.

Des années après la catastrophe, lorsque la population avait commencé à repeupler le secteur des Mouettes, quelqu'un avait eu cette idée simple et géniale de remettre en marche les éoliennes offshore laissées à l'abandon, personne n'y croyait, mais on parvint à les raccorder et à redémarrer le transformateur. Ce qui avait été au départ un gadget destiné à produire un peu de courant d'appoint suffisait maintenant à satisfaire les besoins élémentaires des Mouettes. On réussit la même opération à East Point. Dans la Péninsule c'était un immense privilège que de ne pas être tributaire du pétrole, le baril se vendait en temps normal deux ou trois fois plus cher que de l'autre côté de la frontière, mais dès qu'il y avait pénurie ou incertitude sur les livraisons, des vendeurs vous proposaient des barils à prix majoré de cinquante ou cent pour cent. Les camions-citernes passaient deux fois par semaine les checkpoints au vu et au su de tout le monde, chacun touchait sa dîme et on faisait semblant de croire que la cargaison était destinée aux équipes de la Commission de contrôle. Le trafic était toléré mais pouvait être interdit à tout moment, il suffisait de quelques rumeurs ou de l'aggravation soudaine des contrôles pour que le baril devienne introuvable et que les prix flambent. Si aux Mouettes on devait se passer des éoliennes, il faudrait tripler le budget pétrole et rationner bien plus sévèrement l'électricité.

Pomodoro s'attarda au sommet du talus à scruter les engins métalliques alignés sur deux rangées bien symétriques. Il les montra du doigt, Vous voyez là-bas, sur douze éoliennes, quatre sont depuis longtemps hors service, elles étaient trop abîmées, les huit autres semblent tenir le coup, les pales paraissent en bon état. Mais justement, c'est peut-être ça le problème : huit éoliennes, c'est peut-être trop pour un vieux transformateur, il ne parvient pas à absorber tout ce courant. Pomodoro descendit le talus en s'accrochant aux racines et à ce qu'il pouvait, se dirigea vers une construction de béton trapue enfoncée dans le sol, déverrouilla la porte. Il disparut à l'intérieur et en ressortit l'air perplexe, le problème venait du transfo, il n'était pas complètement en panne mais faisait un bruit bizarre, peut-être suffisait-il de le démonter et de le nettoyer, on l'avait déjà fait. Pour un travail de ce genre, il fallait un bon technicien et au moins un ouvrier si l'on voulait régler le problème en deux jours. Et entre-temps comment se débrouille-t-on pour l'électricité aux Mouettes ? – On ne se débrouille pas, il n'y en aura pas tant que le transfo ne sera pas réparé. – Alors on va tout de suite au Meat Market. On y sera dans une heure.

Pomodoro proposa de faire un détour pour s'arrêter chez Baldur. C'était un homme très organisé, il employait régulièrement des hommes de peine, il savait où trouver de bons travailleurs.

On remonta à bord des véhicules. La tempête redoubla. La capote du command-car ne fermait pas bien et la pluie ruisselait à l'intérieur de l'habitacle. Cela vient de la mer, la pluie va durer toute la journée, répéta Pomodoro, fier de voir ses pronostics se réaliser, un de ces jours prochains il y aura des glissements de terrain et ce chemin sera impraticable.

La ferme de Baldur se situait un peu à l'écart, elle était invisible depuis la route à cause d'un important massif de bambous. Pour y arriver il fallait s'engager dans un petit chemin en pente dont l'accès était lui-même dissimulé sous la verdure. En hauteur on trouva un bout de terrain attenant à un mur de pierre avec des fenêtres lourdement grillagées, le bâtiment était un blockhaus. Pomodoro klaxonna selon un code apparemment convenu, deux coups brefs, trois longs, deux courts. Ici les occupants étaient particulièrement méfiants, ils étaient tous armés et tiraient sans sommation. Un visage finit par se montrer à une fenêtre à l'étage, notre chauffeur passa la tête hors de la voiture et lui fit un signe de la main, l'autre semblait le connaître. Peu après la porte s'ouvrit sur un homme de belle prestance, chevelure blanche et barbe soignée, il accueillit Pomodoro sans un geste ni un mot, les deux hommes disparurent dans la maison.

C'est un homme qui a connu de grands malheurs, murmura Oncle Ho comme pour lui-même. Baldur était arrivé dans la Péninsule quelques années plus tôt, il avait fui pour des motifs politiques. Sa femme l'avait suivi alors qu'on ne lui reprochait rien, il lui aurait suffi de divorcer. Grâce aux sommes importantes qu'ils avaient emportées, ils avaient racheté avec un associé cette grande exploitation agricole spécialisée dans la culture sous serre. La ferme était une entreprise florissante qui faisait vivre une vingtaine de personnes, elle avait bonne réputation, les ouvriers y étaient bien traités. Baldur n'était pas obsédé par la sécurité, les bâtiments n'étaient pas fortifiés comme aujourd'hui, les gens allaient et venaient, on n'avait pas peur des nomades, on leur laissait des provisions à la lisière de la propriété. Une nuit d'automne, des *sauvages* s'étaient introduits dans la maison, avec à leur tête deux ouvriers agricoles qui y avaient séjourné et connaissaient les lieux. Ils étaient venus pour voler, mais aussi pour le plaisir de saccager. Les occupants étaient à peine armés. Il y eut trois morts, Baldur avait été blessé, sa femme violée avant d'être abattue parce qu'elle résistait à ses agresseurs, et les insultait paraît-il. Baldur était resté prostré plusieurs semaines puis avait repris l'affaire en main. Il y régnait désormais une discipline militaire, l'exploitation était entièrement entourée d'un mur d'enceinte et protégée par des pièges, les habitants de la maison gardaient toujours une arme sur eux.

Pomodoro remonta en voiture, Baldur n'avait pour l'instant personne sous la main, son motoriste était passé contremaître dans un atelier qui venait d'ouvrir dans la zone sud-est. En revanche il nous donnait le nom de deux mécaniciens compétents qu'on avait de bonnes chances de trouver au Meat Market, ils avaient décidé de se mettre à leur compte. Un peu chers donc.

Nous reprîmes la route en continuant à longer la côte. Deux kilomètres avant le checkpoint, Pomodoro désigna sur la gauche un étroit chemin qui serpentait vers la mer entre les rochers, Dites donc Commandant, c'est l'exploitation d'Alfred, je le connais, on a peut-être le temps de s'arrêter trois quarts d'heure pour manger quelques huîtres, on est juste à côté du Meat Market et on n'y trouvera personne avant quinze heures trente. L'Oncle Ho acquiesça silencieusement. Nous bifurquâmes, la jeep de Wilkinson nous suivait. Dans la descente on apercevait les parcs à huîtres alignés à petite distance du rivage et deux hangars de bonne dimension aménagés sur le plat. À cause des rochers l'endroit n'était accessible que par ce chemin, il suffisait d'en bloquer le passage pour être à peu près en sécurité. Un homme en ciré jaune fit son apparition, Ah ! salut Tom ! lança-t-il en direction de Pomodoro. Oui, parfois on m'appelle Tom, un jeu de mots idiot sur les tomates, me souffla ce dernier. Et à l'intention du maître des lieux, Salut Alfred, on peut profiter de la vue et de tes huîtres ? Oui, oui, il avait tout ce qu'il fallait, nous n'avions qu'à prendre place. Entre les deux hangars, il avait disposé sous une bâche quelques tables et des chaises de plastique. Nous prîmes place, Oncle Ho, Pomodoro et moi à une table,

Wilkinson et ses hommes de leur côté. Aujourd'hui ce sont des huîtres n° 3, annonça Alfred, combien je vous en mets ? Cinq douzaines ? Avec du vin blanc ? Alors on dit une bouteille et on verra par la suite.

À propos, Girolamo, j'oubliais de vous dire, glissa négligemment Oncle Ho, il y a des problèmes avec les ateliers NanoProd. Je pense que nous ne sommes pas trop loin. – Quel genre de problèmes ? – Ils ne paient plus la redevance depuis un bon moment. Lors du dernier conseil des chefs de pôles, il a été décidé que c'était à notre tour de nous en charger. Bien sûr, si ça tournait au vinaigre, les autres pôles nous prêteraient main-forte. Mais jusqu'à maintenant vous avez toujours eu la manière pour arranger les choses en douceur. – Commandant, merci d'avoir pensé à moi, cependant je doute qu'on ait le temps de s'occuper aujourd'hui des ateliers NanoProd. – Alors vous irez demain matin, ça ne peut plus traîner. Pas besoin d'une division blindée pour vous accompagner, il s'agit d'une ambassade pacifique, prenez un gars de Wilkinson, ça suffira. Emmenez donc Durante avec vous, il faut qu'il apprenne.

Je tendis l'oreille. Quelle était cette histoire d'ateliers ? Ah, jeune homme, sourit Oncle Ho, vous ne connaissez pas encore tous les secrets de notre Péninsule. D'où viennent d'après vous les milliers et les millions d'UC qui circulent dans la région ? Des réfugiés et des retraités qui apportent leurs économies avec eux lorsqu'ils traversent la ligne de démarcation ? Cela ne suffirait jamais. Mais c'est vrai, vous êtes un littéraire, vous n'êtes pas très bon en chiffres. En réalité ce sont les ateliers de sous-traitance qui font tourner une grande partie de notre économie.

On ne savait pas en quelle année précisément était apparu le premier atelier, mais le système avait rapidement proliféré. De l'autre côté de la ligne de démarcation, des entreprises comprirent tout le parti qu'ils pouvaient tirer des réfugiés de la Péninsule. Certes la plupart des retraités avaient emporté avec eux tout l'argent nécessaire, les grosses fermes étaient autonomes et autosuffisantes, même les commerçants se débrouillaient, ils n'avaient besoin ni d'argent ni de travail. Mais tous les autres, réfugiés de droit commun pour la plupart, étaient des jeunes en pleine forme, ils n'avaient pas quarante ans et cherchaient un moyen de subsistance. Dans le meilleur des cas et avec beaucoup de chance ils pouvaient espérer trouver un véritable emploi dans une bonne exploitation agricole ou dans une milice privée, mais les places étaient rares, une majorité se retrouvait avec d'autres vagabonds à errer dans les herbes hautes à la recherche de nourriture. Cela constituait une main-d'œuvre idéale, peu exigeante sur les salaires et les conditions de travail, et qui se renouvelait continuellement. Le pionnier de ce système était un petit industriel poursuivi pour escroquerie qui venait de passer la frontière. Il avait pris contact avec de petites entreprises limitrophes pas trop regardantes sur la morale : il leur fournissait le local et les ouvriers, elles amenaient la matière première et, si nécessaire, les machines-outils. Vu la configuration du terrain, on cherchait des activités à faible consommation d'eau et d'électricité. Les ouvriers étaient payés la moitié du salaire minimum, la semaine de travail était de quarante-cinq heures et pouvait monter à soixante selon les besoins de la production. Mais surtout, les entreprises étaient débarrassées de toutes les normes de sécurité et de toutes les réglementations en matière sanitaire. On vit ainsi réapparaître des produits « miracles » depuis longtemps prohibés, les ouvriers travaillaient sans protection sur des chaînes de montage dangereuses, ils manipulaient à mains nues des matériaux toxiques. Ils attrapaient toutes sortes de maladies mortelles, mais comment savoir si elles n'étaient pas causées par la radioactivité ? Entre-temps la productivité avait été multipliée par trois, la marge des fabricants par cinq. Cette activité attira aussitôt les habituels flibustiers à la recherche de profits rapides. On fabriqua des ordinateurs bas de gamme à partir de matériaux recyclés, des circuits intégrés aux émanations nocives programmés pour tomber en panne, des peluches bizarres qu'on offre dans les fêtes foraines, des jouets de plastique empoisonné déchargé de cargos-poubelles ayant longtemps erré en mer ; on produisit en série les contrefaçons les plus diverses, cosmétiques, grands crus classés, lunettes de marque, pendant un temps un atelier de quarante ouvriers imprima de la fausse monnaie, les autorités de l'extérieur eurent vent de ce trafic et menacèrent de fermer purement et simplement les checkpoints, le conseil des chefs de pôles dut recourir à la force armée pour fermer la boîte. Le secteur sud-ouest qui avait des difficultés financières décida de se lancer pour son propre compte dans l'enfouissement de déchets toxiques, il avait à sa disposition de grandes étendues de terres noires et pouvait pratiquer des prix défiant toute concurrence.

Le système atteignit sa vitesse de croisière, chaque jour des camions de la Commission de contrôle pénétraient dans la Péninsule avec à leur bord les produits bruts, chaque jour ils en ressortaient avec les produits finis, emballés, prêts pour la vente, tous étiquetés *made in China*. Les effectifs de la sous-traitance variaient continuellement, un atelier fermait, un autre ouvrait, mais ils se maintenaient en moyenne aux environs de deux mille salariés. Ceux-ci étaient libres de partir quand ils voulaient, mais ils avaient un toit, un dortoir, de la nourriture, un peu d'argent pour acheter de l'alcool de mauvaise qualité, et personne ne s'en allait.

L'homme au ciré jaune était revenu avec un premier plateau d'huîtres, puis avec le citron, du vrai pain de seigle, une bouteille de Clos Sainte-Odile, originalité rare sous ces latitudes. La pluie avait cessé et le vent s'était calmé. On remonta la bâche en plastique côté mer pour profiter de la vue. Un dernier coup de vent provoqua une trouée dans le manteau nuageux et des rayons de soleil firent une apparition furtive. Tandis que la pluie recommençait de tomber à la verticale, un arc-en-ciel à dominante rose se déploya soudainement tel un paon venu faire en passant la roue. Tous les convives, y compris à la table de Wilkinson, s'interrompirent un instant, hypnotisés par ce tableau éphémère. Nous aurions pu être au nord de la Norvège, au pôle Nord, sur une côte sauvage de la Méditerranée, en un lieu inconnu de la quasi-totalité des humains.

Le Meat Market n'était pas loin, à quelques kilomètres à peine. Le point de ralliement se situait au milieu de nulle part à la lisière d'une ancienne bourgade, sur un terrain vague protégé des vents par des murs en ruine. Le lieu paraissait incongru pour y tenir deux fois par semaine à horaire fixe une Bourse du travail sérieuse et professionnelle, cela tenait au fait que le checkpoint, à quelques centaines de mètres, restait invisible, dissimulé par les accidents de terrain.

Le poste-frontière n'avait rien de très impressionnant. Il se composait de deux grosses guérites de béton aménagées en chicane de part et d'autre d'un large chemin goudronné, lequel était barré dans les deux sens par de forts murets de béton. Les véhicules, même les plus lourds, étaient forcés de s'arrêter devant la guérite, d'attendre le feu vert du douanier et l'ouverture d'un lourd blindage latéral avant de pouvoir contourner l'obstacle par leur gauche et de reprendre la route. Aucun passage en force n'était possible. La manœuvre était fastidieuse, mais les douaniers avaient tout leur temps, il ne passait guère que cinq ou six camions par jour en temps normal. De part et d'autre du checkpoint le terrain vague reprenait ses droits, la ligne de démarcation n'était matérialisée en aucune manière, pas même par une clôture de fils barbelés, de sorte que tout un chacun aurait pu avoir envie de tenter sa chance à pied s'il n'y avait pas eu ces avertissements géants, ces têtes de mort signalant les barrages.

Il y a du monde aujourd'hui, commenta Pomodoro en connaisseur. À la lisière de la place, deux autres véhicules étaient déjà garés, moteur éteint, un chauffeur à bord. Les autres passagers étaient descendus. Nous fîmes de même, Oncle Ho demanda à notre conducteur de rester vigilant et de se tenir prêt à repartir à tout instant. Il y avait déjà eu des incidents, ça éclatait sans qu'on sache pourquoi, des éléments incontrôlés, des têtes brûlées qui jouaient de la vieille mitraillette russe.

Il régnait sur la place un peu de cette activité louche et intrigante propre aux zones frontalières, un camion-cantine débitait des saucisses et des frites, sans doute d'un bon rapport qualité-prix car le camion était pris d'assaut. Des trafiquants bien habillés attendaient on ne sait quelle livraison ou étaient en train de négocier un peu à l'écart, quelques vendeurs ambulants proposaient des marchandises inattendues, brosses à dents, lunettes de soleil, rasoirs jetables, culottes pour femme. Les hommes cherchant du travail étaient une trentaine. Il y en avait de deux types : d'un côté les nouveaux arrivants, ils venaient de passer la frontière, ils avaient encore leurs habits de citadin, ils étaient en bonne forme malgré une barbe trop longue, et de l'autre les vieux routiers du Meat Market, pour la plupart à la dérive, hommes de peine perpétuellement virés de leur boulot et menacés de clochardisation. On les reconnaissait à leurs vêtements dépareillés. Avec ceux-là, dit Oncle Ho, il faut savoir faire preuve de discernement, certains sont de grands professionnels même s'ils ne paient pas de mine, ils ne manquent jamais de travail, ils sont là parce qu'ils préfèrent les petits contrats bien rémunérés, mais il faut éviter les autres, ils sont trop abîmés, ils ne sont plus bons à rien, parfois même ils sont dangereux.

L'Oncle Ho laissait faire Pomodoro et restait à l'écart. À un moment, il eut juste un mouvement lent et quasi imperceptible de la tête pour rendre son salut à un individu qui avait l'air en faction lui aussi, à l'autre extrémité de la place. Un homme dans la cinquantaine, pas très grand et légèrement enveloppé, mais les épaules larges, une crinière de vieux gangster descendant sur la nuque. C'était un chef sans l'ombre d'un doute, et on pouvait parier qu'il avait à voir avec le puissant tout-terrain blindé garé à proximité. Je demandai qui était ce redoutable personnage. Oncle Ho me répondit que je le connaissais forcément, je l'avais vu à East Point, il s'agissait du Baron. Le Baron ? – Oui le Baron, le mari de Valentina Ordjonikidze. – Son mari ? – Je veux dire son ex-mari.

10

Les discussions avaient traîné en longueur au Meat Market, Pomodoro avait trouvé sans trop de difficulté l'un des mécaniciens recommandés par Baldur et choisi deux hommes costauds pour l'assister, puis s'était mis à la recherche d'une grosse machine à souder et d'un peu de matériel, courroie de transmission, câblage, etc. On n'était repartis qu'en fin d'après-midi. Au retour il avait fallu installer les trois journaliers pour la nuit, il était finalement très tard lorsque je retrouvai ma chambre. Valentina n'avait pas reparu, mais je chassai cette pensée dérangeante, j'étais mort de fatigue et je n'aspirais qu'à dormir, j'avais rendez-vous le lendemain matin à huit heures trente précises au rez-de-chaussée avec Pomodoro pour une nouvelle expédition et je l'imaginais déjà en train cogner de nouveau à ma porte sous prétexte que je ne m'étais pas réveillé.

Au moment d'éteindre, je découvris sur la table de chevet un mot que Valentina avait dû laisser le matin avant de partir.

Je vous laisse dormir, j'ai à faire, je dois m'absenter. Je vous ferai signe très bientôt, soyez-en sûr. Je vous embrasse tendrement, mon cher petit mari.

Je retournai le message dans tous les sens. Il pouvait s'agir d'un mot d'adieu enrobé par gentillesse de quelques promesses fallacieuses n'engageant que leur destinataire, ou d'une déclaration d'amour palpitante sous l'ironie, encore fallait-il savoir de quel amour il s'agissait. Cependant j'avais été élevé à la dignité de petit mari.

Je dormis neuf heures d'affilée. Dans mon sommeil agité, je vis apparaître, disparaître et revenir Valentina, elle me regardait fixement dans les yeux sans dire un mot, tandis qu'à l'arrière-plan comme dans un manège défilaient les visages menaçants ou rigolards du fameux Baron et, sans raison apparente, de ce Wilkinson dont j'ignorais presque tout, mais avec qui je l'avais aperçue en conversation animée. Pourquoi donc Wilkinson m'apparaissait-il en rêve ? Wilkinson lui aussi ?

Quel temps de chien, grommela Pomodoro en se mettant au volant de la jeep, on va mettre plus d'une heure pour arriver là-bas. Il m'indiqua l'itinéraire sur un croquis. Nous devions reprendre le même chemin que la veille mais, peu avant le Meat Market, en rattraper un autre qui remontait en épingle à cheveux vers l'intérieur des terres, cela nous obligeait à un énorme détour, mais les ateliers NanoProd se trouvaient dans un cul-de-sac, il n'y avait pas d'autre façon d'y arriver. Allongé à l'arrière, je dormis pendant toute la première partie du trajet. Je fus réveillé par Pomodoro qui me conseillait d'ouvrir l'œil, nous étions engagés dans un chemin convenablement dégagé mais bordé de part et d'autre par une forêt de bambous compacte, le terrain idéal pour une embuscade. Le patron de NanoProd prétendait qu'il n'y avait aucun risque, les vagabonds savaient qu'il y avait à proximité une cinquantaine d'hommes prêts à les traquer et à leur régler leur compte si par hasard ils avaient la fantaisie d'attaquer un de leurs convois, ils se tenaient à distance.

Les ateliers se résumaient à deux énormes hangars en parpaings plantés au milieu d'un terrain vague. Un portail donnait accès à une cour intérieure fermée qui servait de garage pour les véhicules et d'entrepôt. Pomodoro amena la jeep au plus près, de la sorte ils verraient à qui ils avaient affaire et éviteraient de lâcher leurs molosses, qui étaient des tueurs.

De fait on entendait de l'extérieur de la bâtisse les aboiements des chiens de garde qui s'agitaient dans leurs chaînes. Le portail s'ouvrit et on pénétra dans la cour intérieure, Pomodoro se contenta de passer la tête à l'extérieur et expliqua que nous venions voir le directeur. Le vigile hocha la tête et dit d'attendre avant de nous laisser en compagnie des trois fauves. Le patron fit son apparition, Tu vois sa gueule, dit Pomodoro, il sait pourquoi on est là et ça ne lui fait pas du tout plaisir. S'il pouvait nous faire dépecer et dévorer par ses chiens, il ne s'en priverait pas, mais nous sommes intouchables. S'il nous arrivait quelque chose, ça se saurait tout de suite et les représailles seraient sanglantes.

Le patron serra la main de Pomodoro, me salua sans un mot, nous montâmes à l'entresol dans son bureau d'où l'on avait vue sur l'ensemble de l'atelier. Il était près de onze heures, la production tournait à plein, on distinguait malgré le double vitrage le vacarme continu d'une infinité de petits bruits métalliques telles des cigales les après-midi d'été.

Vous faites toujours dans les circuits intégrés ? demanda Pomodoro. – Toujours. C'est ce qui marche le moins mal. Mais il a fallu encore baisser nos prix à cause de la concurrence. On est sur le point de travailler à perte. De l'autre côté de la frontière, au siège, des responsables ont commencé à parler de fermeture. – Tiens, c'est original, dit Pomodoro, ce serait vraiment dommage pour vos amis car, me semble-t-il, les marges ont été jusqu'ici substantielles. – Nous sommes étranglés financièrement, je peux vous montrer nos comptes d'exploitation. – Ne vous donnez pas cette peine, vous savez pourquoi nous sommes ici. L'autre joua les idiots, il n'en avait pas la moindre idée. Pomodoro, sans élever la voix ni manifester la moindre agressivité, lui résuma la situation. La redevance protection n'avait pas été versée depuis deux mois, les arriérés se montaient à vingt mille UC. Son interlocuteur continua à feindre la surprise, il devait y avoir une erreur, ils avaient toujours payé la redevance dans les délais, peut-être était-ce la faute du nouveau comptable, il venait à peine de commencer et ne connaissait pas tous les rouages, son prédécesseur était mort d'un cancer foudroyant à la fin de l'été. Pomodoro l'interrompit d'un geste qui signifiait, N'en faites pas trop tout de même, désormais vous nous faites perdre notre temps. Le patron repartit sur un chemin de traverse qui nous ramena au début de l'entretien, les affaires étaient mauvaises, on avait été obligé de casser les prix, etc. Pomodoro leva de nouveau la main pour l'arrêter, il n'était pas venu pour discourir sur les fluctuations du marché, mais pour obtenir le paiement intégral de la redevance, et dans les huit jours. Faute de quoi les ateliers NanoProd seraient dans un premier temps exclus de la charte de protection publique. Vous menacez de nous retirer votre agrément ? protesta son interlocuteur au bord de l'étranglement, mais en quoi nous avez-vous protégés jusqu'ici ? Nous nous défendons nous-mêmes comme vous pouvez le constater, nous ne demandons l'aide de personne pour acheminer nos convois vers les checkpoints. – La redevance protection sert à entretenir les groupes armés et les milices, elle permet donc d'assurer la sécurité sur l'ensemble de la Péninsule et cela se paye. Si l'on savait que nous vous avons retiré notre protection, vous risqueriez d'avoir des problèmes, vos petits convois ridicules pourraient être attaqués par les premiers vagabonds venus, ça s'est déjà vu. – Vous êtes en train de me menacer ? couina le patron, maintenant cramoisi. – Jimmy, ça te dérangerait d'aller faire un tour, j'en ai encore pour dix minutes au maximum.

Dans la cour, notre chauffeur était toujours en faction derrière son volant en train de griller une cigarette. Je jetai un coup d'œil par la fenêtre à l'intérieur du hangar. Je poussai une porte, un peu plus loin, à l'intérieur il y avait toujours ce bruit métallique uniforme de grésillements d'insectes. La cinquantaine de tables de travail étaient alignées sur cinq rangées, et chaque employé, un verre grossissant dans l'œil droit, s'appliquait à de minuscules soudures. Il y avait à chaque extrémité de la salle deux petits chefs qui surveillaient le travail. Personne ne fit attention à moi. L'atelier était relativement propre, mais le bruit était insupportable, il flottait dans l'air une poussière de fines particules dégageant une odeur chimique. J'entendis derrière moi la porte s'ouvrir de nouveau, c'était Pomodoro, On s'en va, me dit-il, le problème est réglé. Il paiera.

Retour aux Mouettes. Tout ce temps j'avais réussi à ne pas penser à Valentina, même si dans un recoin obscur de mon cerveau flottait cette pensée insaisissable : j'allais rentrer à l'hôtel, je monterais dans ma chambre et je trouverais un mot glissé sous la porte ; ou bien je monterais à ma chambre et, juste le temps de me doucher, de m'étendre une demi-heure, j'entendrais tambouriner à la porte, Coucou Jimmy, c'est moi.

Il n'y avait pas de mot glissé sous ma porte. Je fis celui qui n'en attendait aucun, je pris ma douche, me versai un double whisky, tombai en contemplation devant le spectacle de la mer déchaînée, sombrai dans un sommeil bref mais profond, me réveillai hébété. Il me revint à l'esprit avec soulagement que j'avais été réquisitionné pour une soirée de poker chez Oncle Ho à vingt heures précises. Il y aurait de quoi grignoter et chacun était libre d'apporter ce qu'il avait envie de boire, le Commandant ne buvant pas une goutte d'alcool.

Après avoir tourné en rond toute l'après-midi, je me décidai à aller frapper à la porte de cette chambre au fond du couloir où j'avais la première fois surpris ses talents d'instrumentiste. Il n'y eut pas de réponse. Je collai mon oreille, aucun signe de vie à l'intérieur. Je tournai la poignée, la porte n'était pas verrouillée, je balayai la pièce de ma torche électrique et constatai au premier coup d'œil que le violoncelle et le matériel de musique avaient disparu. Elle avait vidé le local. Valentina m'avait dit qu'elle était logée à l'étage du dessous. Je m'imaginais mal faire le tour de l'étage, frapper à toutes les portes en m'excusant à chaque fois de m'être trompé de chambre et demander aux locataires s'ils n'avaient pas vu récemment une longue jeune femme au visage chevalin, avec ou sans violoncelle.

Oncle Ho devait être courant puisque de manière générale il savait tout, je n'avais qu'à lui poser la question sur un ton détaché pendant qu'on distribuerait les cartes, Et notre voisine violoncelliste, où est-elle donc passée ? Mais je savais que je ne le ferais pas, jamais je ne me permettrais d'aborder devant lui un sujet si personnel et trivial, c'eût été faire preuve d'une absence totale de professionnalisme, j'aurais perdu la face. Et Wilkinson ? J'imaginais la surprise condescendante avec laquelle il accueillerait ma question, Ah bon ! vous la cherchez, comment Dieu est-ce possible ? Je pourrais à la limite me renseigner avec désinvolture auprès d'un garde lambda du rez-de-chaussée, du genre, Je cherche Mme Ordjonikidze pour une affaire urgente, vous l'avez vue cet après-midi ? Ils s'empresseraient de le répéter à Wilkinson.

La soirée de poker me permit de penser à autre chose. Outre le Commandant, joueur de haut niveau, stratège silencieux et impénétrable, il y avait un monsieur aussi âgé que lui, aux manières désuètes de vieux bourgeois, tout aussi réservé et impassible. Borsellini complétait le tour de table. Sous ses allures d'histrion moustachu et bruyant, notre *mad doctor* n'était pas mauvais non plus, à l'inverse des autres sa méthode à lui consistait à noyer ses adversaires sous un flot de paroles, de messages divers, de saynètes déroutantes, il tenait avec talent le rôle du naïf incapable de masquer ses sentiments, au moment de recevoir ses cartes il feignait le désespoir, mimait le geste de se loger une balle dans la tête, ou bien au contraire il affichait l'air réjoui de celui qui allait faire sauter la banque. Borsellini nous saturait en permanence de tant d'informations farceuses ou tonitruantes qu'on avait définitivement renoncé à comprendre, parfois il nous annonçait triomphalement, Avec ces trois valets, messieurs, je vous plains, vous allez connaître votre malheur, et il avait trois valets. En moyenne, il disait la vérité une fois sur quatre. Au poker je ne me défends pas mal, moi non plus. Mais avec des partenaires de ce niveau, je me contentais habituellement de chercher à limiter les dégâts. Cette fois je me trouvais dans un état second (je continuais au whisky), je faisais n'importe quoi, j'attaquais avec rien dans la main, j'étais le joueur fou à qui tout réussit. À la fin de la soirée j'avais fait une jolie différence de trois cents UC. Félicitations, dit Oncle Ho, doit-on vous répéter, heureux au jeu, malheureux en amour ?

Le lendemain j'étais désœuvré et je me traînais. Faute de mieux je me dis que j'irais tromper mon ennui au thé dansant du samedi après-midi au restaurant du septième. Après tout Valentina y avait déjà organisé sa tombola, également un samedi d'ailleurs, peut-être avait-elle entretemps racheté la franchise du thé dansant, elle y ferait donc sa réapparition.

Pour éviter de perdre définitivement la notion du temps, notre petite communauté s'attachait à respecter le rituel des jours de la semaine, lundi service de blanchisserie, mercredi passage des vendeurs ambulants, et donc le samedi sorte de buffet musical de fin d'après-midi, on y voyait beaucoup de célibataires qui restaient dans leur coin le regard dans le vide, mais aussi parfois de vieux couples qui se tenaient amoureusement par la main les yeux dans les yeux. Certains avaient déjà profité de la circonstance pour annoncer qu'ils mettraient fin à leurs jours ensemble le lendemain dans l'après-midi. Le programme musical se composait de vieilles romances interprétées par de célèbres voix de velours, Caruso, Gene Austin, Bing Crosby, Dean Martin, Domenico Modugno, il y avait aussi des valses, des fox-trot ou des tangos qui ravissaient nos pensionnaires, certains étaient d'excellents danseurs.

Je restai un moment à savourer la mélancolie du spectacle. Après deux whiskys de plus, je me résolus à aller déranger Ariston Pitt. Il était dans son appartement, plongé dans sa lecture comme d'habitude, il avait les *Mémoires* du cardinal de Retz entre les mains. Lorsqu'il me vit apparaître, il jeta sur moi un œil interrogateur qui signifiait, Mais mon bon ami que vous est-il donc arrivé de si grave que vous en soyez réduit à venir m'importuner sans même avoir pris rendez-vous ? Il se contenta de m'accueillir avec courtoisie sans se lever de son fauteuil et me dit sur un ton amical, Expliquez-moi ce qui vous arrive, vous me semblez mal en point. Vous voulez me parler de Mlle Ordjonikidze, sans doute ? Ariston Pitt était toujours aussi bien informé que le Commandant lui-même de ce qui se passait dans son fief. Il venait peut-être de comprendre que j'étais le seul à ne pas savoir. Valentina ? Vous n'étiez pas au courant ? Mais elle est tout simplement partie s'installer chez cette Mathilde je ne sais trop quoi, celle-ci lui a offert l'hospitalité.

Je lui précisai le patronyme de la dame en question, nous l'avions en effet rencontrée l'autre nuit au Stardust, elle avait eu la gentillesse de nous déposer aux Mouettes sur le chemin du retour, Valentina semblait la connaître sans plus. Ariston eut une moue évasive, il savait seulement que le mercredi dans la matinée son chauffeur était venu chercher Valentina pour la conduire chez cette Van Meegeren, elle avait dû y passer la journée et la nuit, le lendemain elle était revenue avec la même limousine, elle avait rassemblé tous ses effets, ils avaient mis tout ça dans la voiture, et elle était repartie après avoir expliqué au Commandant que Mathilde l'invitait à venir vivre chez elle. Et c'est où chez elle ? – Elle habite à cinq kilomètres d'ici un grand manoir qu'on a baptisé le Château. Je ne connais pas la dame, mais je connais l'endroit. Je ne sais combien ils sont là-dedans, mais on pourrait y loger vingt personnes. Le lieu est somptueux, ils y organisent des fêtes. J'espère seulement pour eux qu'ils ont pris les mesures de sécurité qui conviennent et qu'ils ont embauché suffisamment d'hommes. C'est un lieu isolé, un ancien domaine boisé où des hooligans peuvent aisément se cacher, c'est impossible à défendre à moins que, depuis, on y ait fait de gros travaux pour en contrôler l'accès. Je crois que c'est dans la nature de Mlle Ordjonikidze d'avoir la bougeotte, on lui aura fait une proposition amusante et elle aura dit oui. Vous ne devriez pas vous en préoccuper, elle vous donnera bientôt de ses nouvelles.

Mathilde Van Meegeren, bien sûr. C'était tard dans la nuit au Stardust, bien après l'épisode amoureux qui s'était déroulé sur la terrasse vide, sous le regard de quelques milliers de passagers d'un ferry-casino géant incandescent.

Au retour, le cabernet géorgien nous attendait sur la table, déjà décanté et mis en carafe. Ma main progressa sur la belle nappe blanche pour atteindre celle de Valentina qui avait fait la moitié du chemin. Son visage arborait une timidité passagère inédite. Pour ma part je renouais avec ce sentiment délicieux et angoissant qu'on éprouve à l'occasion des premiers émois amoureux, j'étais ramené quatre décennies en arrière, à une époque où je tentais fébrilement d'obtenir (ou de conserver) les grâces d'une belle sur la pelouse d'un campus universitaire, dans le clair-obscur d'un bistrot. Vous savez, dis-je en savourant de nouveau ce nectar couleur rubis, que j'ai l'impression de retomber en adolescence. – Cela vous va bien, c'est d'ailleurs curieux que les Organes aient recruté des adolescents attardés dans votre genre, mais quoi qu'il en soit cet aveu de votre part me rajeunit. – Vous n'avez pas besoin d'être rajeunie. – Vous ai-je dit que vous me plaisiez ?

Je lui demandai, Vous qui connaissez tout le monde dans la région, ou, devrais-je dire, tous les gens qui comptent, dites-moi pourquoi on voit si peu de femmes de votre espèce dans le coin. À moins que vous ne soyez la seule. – Il y en a d'autres, rassurez-vous, certaines sont bien plus jeunes que moi, il y a quelques rares anciennes délinquantes, les autres sont des maîtresses attitrées, elles ont suivi dans leur fuite des bandits en rupture de ban, mais ces créatures de rêve ne se montrent pas beaucoup, elles se consacrent à leur intérieur. Une jeune femme que j'ai croisée portait la cicatrice au-dessus de l'arcade sourcilière et ne s'en cachait même pas, elle avait la coquetterie d'afficher son marquage. Mais pourquoi cette question ? Serait-il possible que je ne vous suffise déjà plus ?

Il devait être près de deux heures du matin et la plupart des clients avaient quitté les lieux, il restait deux ou trois tables. Me feriez-vous la lecture d'une belle œuvre, de celles que vous gardez dans votre chambre ? Cela me fera dormir. – Je pourrais vous lire l'une des *Chroniques italiennes* de Stendhal, ou alors une nouvelle de Borges, que préférez-vous ? – Je vous laisserai choisir, je n'y connais rien, ce sera juste pour le plaisir d'entendre votre voix. Et si on y allait ? Je vais aller demander à Donatien combien il demande pour une voiture avec chauffeur.

Elle disparut du côté de la réception. Le maître d'hôtel revint avec la note, j'observai un délai de décence avant de consulter le montant, qui était encore plus impressionnant que je le redoutais, soit cinq cent vingt UC. L'air aussi grand seigneur que possible dans la circonstance, je sortis un billet de cinquante et cinq billets de cent de mon portefeuille et les posai sur la coupelle d'argent dans laquelle il avait apporté l'addition, j'eus un geste négligent pour signifier qu'il pouvait garder la monnaie.

Les conciliabules de Valentina traînaient en longueur. Il se passa un long quart d'heure avant qu'elle réapparaisse à l'orée de la salle. Avec le plus grand naturel elle se dirigea vers la table de la dame en rouge dont elle m'avait appris le nom plus tôt dans la soirée, Van Meegeren, sans doute la connaissait-elle personnellement car après une seconde d'hésitation les deux femmes se firent la bise. Il y avait à la même table deux hommes au port noble vêtus de smokings, ils auraient pu être père et fils vu la différence d'âge, l'humeur paraissait joyeuse, j'entendais des éclats de rire. Le plus jeune des mâles tendit à Valentina une coupe de champagne qu'elle finit par accepter sans daigner prendre place comme l'homme semblait le lui proposer avec insistance. Elle dut mentionner ma présence car les trois convives tournèrent la tête en même temps dans ma direction. La dame en rouge en profita pour lancer à voix haute, Ah ! voilà donc ce nouveau fiancé, vous nous le présenterez un jour ? Je ne sais pas ce que répondit Valentina, un commentaire acidulé qui mettait un terme à la discussion ou un sourire entendu qui ne portait pas à conséquence, le conciliabule se poursuivit quelques instants à voix feutrée. Elle finit par reposer la coupe vide et fit un signe de la main qui semblait vouloir dire, À tout à l'heure.

Elle me rendit compte de ses démarches. La maison pouvait en effet nous louer une voiture avec chauffeur, mais le prix était exorbitant, c'était acceptable si l'on faisait dix kilomètres, mais il y avait un tarif minimum, même s'il ne s'agissait que de deux kilomètres. – Et c'est combien ? – Cinq cents UC. – En effet c'est une somme considérable bien que j'aie la plus grande envie de vous faire la lecture. – J'en ai envie moi aussi et il me semble que cinq cents UC ce ne serait pas si cher payé pour un tel plaisir, mais en l'occurrence j'ai trouvé une solution à votre problème (elle insista sur le *votre*). Les Van Meegeren, enfin Van Meegeren et ses amis, sont sur le point de partir. Ils ont un véhicule et feront gracieusement un détour pour nous laisser à l'hôtel.

Au moment de nous lever de table, il ne restait plus que le groupe de Mathilde et nous. Celle-ci nous offrit de prendre le dernier verre et fit les présentations, Voici les deux hommes de ma vie, Branco est le plus jeune et le plus fougueux mais il est un peu possessif, quant à Archibald Cox, c'est mon ange gardien, mon protecteur, il fut mon avocat fidèle car il a un goût pour les causes douteuses, il est tellement fidèle qu'il m'a suivie dans mon exil tel un vieux maréchal d'Empire à Sainte-Hélène. Lorsque Mathilde s'enquit de mon cursus, Valentina s'empressa de répondre à ma place avec le plus grand naturel, Jimmy est un intellectuel, cela ne se voit-il pas à l'œil nu ? Elle aurait pu leur dire que j'étais un ancien des Organes, ou à tout le moins un agent de l'État sans davantage de précision, cela n'avait plus d'importance pour qui que ce soit, mais elle s'abstint. Les deux femmes demandèrent des coupes, Archibald m'offrit de goûter leur armagnac hors d'âge et me présenta sa boîte à cigares où il ne restait plus que trois ou quatre panatellas Quai d'Orsay, il était en rupture de stock de Montecristo et s'en s'excusait.

Nous montâmes à bord d'une impressionnante limousine blindée qui attendait à la sortie avec deux gardes du corps. Comme je l'appris par la suite, c'est dans ce même véhicule que, trois ans plus tôt, la financière déchue avait fait son entrée dans la Péninsule. Elle avait versé des pots-de-vin insensés à tous les humains gravitant autour du checkpoint ouest, douaniers, flics de faction, convoyeurs officiels et officieux, inspecteurs de la Commission, elle avait franchi la ligne de démarcation, certes au beau milieu de la nuit mais de manière quasi officielle, en compagnie de son vieil avocat, d'un chauffeur armé jusqu'aux dents et d'une montagne de bagages. C'est tout juste si elle n'avait pas commandé un comité d'accueil avec fanfare de bienvenue. On disait qu'elle avait dépensé quelques centaines de milliers d'UC dans l'opération, mais cela n'avait pas d'importance vu la petite fortune qu'elle avait réussi à faire passer en fraude, compte non tenu des millions qu'elle avait abandonnés derrière elle. Comme je l'avais deviné de loin malgré la pénombre, Mathilde Van Meegeren était une belle femme, mais de près, si savamment fardée, on l'aurait dite en sursis. De son passé glorieux elle avait gardé l'habitude de rire à gorge déployée, et elle le faisait avec naturel. Valentina, dit-elle sur un ton guilleret lorsque nous sortions de la voiture, n'oubliez pas que vous avez promis de venir me prodiguer votre art ! Valentina acquiesça et lui envoya de loin un baiser du bout des doigts.

11

Dimanche après-midi au moment de sortir je découvris une enveloppe sous ma porte. Le papier avait une texture recherchée et une couleur rose passée peu courante, l'écriture était élégante et penchée, je ne doutai pas un instant de l'identité de l'expéditrice. D'ailleurs qui avait encore la coquetterie d'écrire des lettres ? Une veuve du voisinage qui souhaiterait me convier à la mise en bière de son défunt mari peut-être, mais le cas bien théorique ne s'était pas encore présenté. Je décachetai. Le message succinct était soigneusement calligraphié sur une feuille de papier également parcheminé.

> *Jimmy chéri,*
> *Cela fait quatre jours que je ne vous ai pas vu et il me semble que cela fait des mois. Le temps vous a-t-il paru aussi long qu'à moi ? Cela ne se produira plus jamais, je vous le jure. Que diriez-vous (je n'aime pas les dimanches) d'un rendez-vous demain après-midi pour un déjeuner à l'heure espagnole, nous pourrions profiter du beau temps, on annonce du soleil (sic !). Vous connaissez cette portion du quai n° 2 où les barques de pêche viennent accoster, on y sert des fruits de mer et de la friture, je vous attends à quinze heures.*
> *Votre V. qui vous embrasse.*

Pour arriver au quai n°2 depuis l'hôtel il fallait dix minutes à peine. Comme l'avait prophétisé Valentina, le ciel était dégagé, le soleil de novembre jouait à cache-cache avec les plus jolis cumulus qu'on ait vus depuis des années, un vent légèrement frisquet semblait annoncer le retour des jours d'insouciance, d'ailleurs on eût dit que tout le monde s'était donné le mot pour sortir au même moment et venir flâner en bord de mer. Je croisai de vieux couples qui d'ordinaire ne mettaient jamais le nez dehors ; ils m'adressèrent de chaleureuses salutations auxquelles je répondis. Il flottait quelque chose d'étrangement frivole dans l'air, le parfum de je ne sais quel après-guerre, à moins que ce ne fût au contraire celui d'un avant-guerre, lorsque les héritiers se ruinent en fêtes somptueuses et les demi-mondaines à la roulette, tandis que les conventions sociales volent en éclats.

J'aperçus de loin Valentina en compagnie d'un gaillard qui devait être le patron d'une des barques amarrées au même ponton. Je reconnus instantanément sa silhouette, soulignée par d'élégants Levi's 501 délavés d'origine, une veste d'aviateur trop grande et usée, un foulard de cachemire ou de mohair négligemment enroulé à plusieurs reprises autour de son cou tel un boa constrictor apprivoisé faisant la sieste. Elle était plongée dans une conversation animée qu'elle ponctuait de gestes de la main, une cigarette au bout des doigts. Je dus pénétrer latéralement dans son champ de vision, elle obliqua légèrement la tête dans ma direction et, le plus naturellement du monde, m'adressa un large sourire et un geste de la main. Eh bien Jimmy, dit-elle, n'avais-je pas raison de vous donner rendez-vous par cette belle journée ? Avez-vous déjà vu un ciel aussi radieux ? Chris, qui ne se trompe jamais en la matière, me jure que le beau temps tiendra toute la journée. Là-dessus elle me donna un baiser sur le front et glissa son bras sous le mien, Chris me racontait comment la pêche est miraculeuse depuis quelques jours, mais venez c'est par là, ils ont mis des tables à l'extérieur.

La terrasse était disposée côté immeubles dans un renfoncement qui la protégeait des intempéries, elle débordait aujourd'hui sur la chaussée vu le beau temps. La cuisine de campagne tenait dans une pièce du rez-de-chaussée, il suffisait d'en refermer les portes doublées de métal pour mettre le matériel à l'abri après le service. Le beau temps avait attiré du monde, une dizaine de tables étaient occupées, par un curieux effet du hasard la clientèle se composait de gens qui n'étaient pas tous des vieillards, il y avait même quelques jeunes femmes. Valentina avait pris soin de retenir une table en bordure de terrasse, nous aurions pu nous imaginer quelques décennies en arrière, attablés à une cantine à la mode, avec vue imprenable sur de vieux rafiots engloutis, des carcasses rouillées survolées par des escadrilles de goélands aux cris lugubres, à une époque il n'y avait rien de plus tendance que d'ouvrir des restaurants de grands chefs au milieu de friches industrielles.

Le patron de la gargote était une patronne, elle vint prendre la commande à la mode d'antan, un tablier blanc ceint à la taille, stylo et calepin à la main, nota trois demi-douzaines d'huîtres, recommanda tout spécialement une poêlée de lotte aux châtaignes, une rareté tout à fait exceptionnelle, car proposer dans la même assiette de la lotte fraîche et des marrons authentiques, c'était une aubaine à saisir, on n'en reverrait pas avant la prochaine année bissextile ! C'est vrai, de la lotte du jour, on ne voit pas ça très souvent, plaisanta Valentina, de la lotte avec son coefficient de césium, je suppose. – Pour le césium, pas de problème, le taux est stable, d'ailleurs il paraît que c'est bon pour le cerveau. – Le césium est bon pour tout, dit Valentina.

Elle attendit que la bouteille de rosé chilien fût débouchée et immergée dans le seau à glace puis eut la coquetterie de se plaindre de mon manque d'empressement à son égard, avais-je même cherché à la retrouver ? Elle n'avait relevé aucun indice en ce sens et en concluait que je l'avais oubliée. Je fis mine d'entrer dans son jeu et prétextai une masse de travail en retard. La vérité, m'expliqua-t-elle, c'est qu'elle avait déménagé pour raisons professionnelles. On lui avait fait une proposition qu'elle ne pouvait pas refuser. Après dix jours aux Mouettes, elle avait eu le temps de comprendre qu'elle n'y ferait pas carrière. Elle espérait pour les séances de relaxation et de réflexologie une clientèle régulière qui ne s'était pas manifestée, bien qu'elle eût disposé à divers étages de jolies affichettes colorées, et elle ne pouvait pas organiser une tombola chaque semaine.

Mardi soir au Stardust, Mathilde avait insisté pour la revoir dès le lendemain, les douleurs étaient de plus en plus fortes, elle gardait le souvenir de soins prodigués par Valentina, ils lui avaient déjà procuré un réel soulagement. Elle lui avait envoyé son chauffeur à onze heures du matin, la séance lui avait fait un bien immense et elle lui avait proposé de venir vivre au Château, Vous y serez bien et vous serez ma réflexologue de compagnie, avait-elle dit. Elle se retrouvait donc logée dans l'une des plus belles maisons de la région, nourrie et très correctement payée en échange de l'exclusivité de ses services, rien de contraignant, sa patiente avait besoin d'elle quelques heures par jour tout au plus. Au Stardust j'avais noté la pâleur de Mathilde, mais sans mesurer la gravité de son état. En fait elle n'en avait plus pour longtemps et ne tenait que grâce à la morphine, mais celle-ci faisait de moins en moins d'effet. Le foulard qu'elle portait en permanence autour du cou servait à masquer une tumeur grosse comme un œuf. Mais ne me regardez pas comme ça, Jimmy, cela n'a rien à voir avec moi, le foulard que je porte aujourd'hui c'est pour me protéger du froid ! Cela ne veut pas dire que je suis en bonne santé, mais je peux vous assurer que je n'ai pas de tumeur !

Elle s'installait donc chez Van Meegeren et je restais aux Mouettes, s'agissait-il donc aujourd'hui d'un déjeuner d'adieu ? Elle eut un rire espiègle et posa de nouveau sa main sur la mienne pour atténuer la désinvolture de sa réponse, Croyez-vous vraiment que je pourrais me passer de vous ? Elle secoua énergiquement la tête en signe de dénégation, Mais concernant les mariages modernes, vous savez sans doute qu'il n'est pas déconseillé de faire domicile à part, c'est une excellente manière d'entretenir la flamme. Vous viendrez me voir chez Mathilde, j'irai vous rendre visite aux Mouettes, nous laisserons faire le hasard, j'aime bien attendre et faire attendre, un peu d'imprévu ne peut pas nuire. À ce propos j'ai prévenu au Château que je serais indisponible pour les deux prochains jours, j'avais songé à vous demander l'hospitalité. J'espère que je ne me suis pas trop avancée. Bon. Pour tout vous dire, j'avais anticipé de votre part une réponse favorable et j'ai laissé un peu plus tôt pour qu'elle me les garde une valise et un sac de voyage auprès de la patronne de cet établissement, juste quelques-uns de ces produits de beauté mystérieux dont raffolent les femmes et de quoi me changer, quelques robes, des effets personnels, enfin vous imaginez. – J'imagine.

Nous nous resservîmes du rosé et Valentina soupira. N'est-ce pas le bonheur ?

Mes yeux se tournèrent en direction de la mer que l'on apercevait au loin entre deux immeubles aux façades lépreuses. La lumière avait ceci d'exceptionnel que le moindre détail du tableau apparaissait avec une netteté parfaite, on avait l'impression de voir à des kilomètres de distance, jusqu'au bout de l'horizon. Je me fis à haute voix cette réflexion que la voie paraissait tout à fait dégagée pour partir en croisière, quitter la Péninsule et disparaître à jamais, on avait peine à croire à la réalité de ces barrages, à quelle distance se trouvaient-ils d'ailleurs ? – À six kilomètres, mais on ne les voit pas, dit Valentina. Au début les réfugiés croyaient qu'il suffisait de trouver un bateau et de prendre la mer, ils ne comprenaient pas pourquoi tout le monde n'avait pas déjà tenté l'aventure. Ils ont tous péri, les courants rejetaient les corps sur le rivage, ou parfois ramenaient une barque avec à son bord des cadavres sereins, ils avaient dû être électrocutés, parfois rien ne revenait, l'embarcation s'était probablement désintégrée en engloutissant ses passagers. Croyait-elle vraiment que personne ne s'évadait de la Péninsule ? Pas par la mer en tout cas, répondit-elle.

Par voie de terre c'était autre chose. Les chances de réussite étaient très faibles, mais on pouvait tenter le coup. Les douaniers ou les inspecteurs de la Commission étaient menacés du pire s'ils aidaient quelqu'un à s'évader, mais on en avait déjà vu se laisser corrompre parce qu'on y avait mis le prix, autrement dit une montagne d'or. Cependant nul ne sait si le fonctionnaire acheté n'avait pas dénoncé le fuyard aussitôt l'argent encaissé. On suppose que certains candidats à l'évasion avaient de cette manière réussi à passer, d'autres avaient préféré creuser leur propre tunnel. Mais où allaient-ils une fois la frontière traversée ? Pour avoir une chance raisonnable de regagner le monde extérieur et d'y retrouver une vie normale, il fallait tout d'abord ne pas avoir été greffé, ensuite s'être résigné à passer le reste de ses jours dans les bas-fonds et les quartiers cosmopolites où les forces de l'ordre avaient depuis longtemps renoncé à intervenir, mais où vous mouriez de misère à brève échéance si vous n'aviez pas déjà été assassiné à un coin de rue pour votre montre ou vos chaussures. À la réflexion, ceux qui avaient des chances raisonnables de s'en sortir et de survivre étaient les mafieux de rang moyen, pas expressément recherchés par la police et disposant de points de chute solides dans les mauvais quartiers. Encore fallait-il qu'ils n'aient pas la puce électronique. Tout cela était si compliqué ! Si l'on avait informé les pensionnaires des Mouettes de filières sûres pour s'évader d'ici, ils auraient répondu, Mais pour aller où, grand Dieu ? Nous sommes très bien là où nous sommes. Les gens ne cherchaient pas à s'évader pour cette raison qu'à leurs yeux c'était pire ailleurs.

Mais il y avait aussi dans la Péninsule de nombreux jeunes gens resplendissants de forme, ne doutant de rien et incapables de croire à leur propre mort, ils n'avaient aucune intention de passer le reste de leur vie dans cet hospice, beaucoup étaient prêts à tenter le tout pour le tout. Valentina dut mentionner au passage le nom de Wilkinson, je lâchai une amabilité sur son compte, Ah oui, le bellâtre, ou quelque chose d'approchant, cela la fit sourire, Je crois que vous n'aimez pas trop Wilkinson, vous n'allez pas me dire que vous êtes jaloux de lui tout de même ! – Je n'ai aucun sentiment particulier à son égard. Je trouve seulement qu'il manque de conversation et qu'il a tendance à me regarder fixement. – Vous êtes sévère avec lui, Wilkinson est un jeune homme de sentiments et des convictions. Il n'a pas fréquenté les grandes universités, mais il n'est point sot. Aujourd'hui c'est un écorché vif, il se méfie de tout le monde. Mais quand il accorde son amitié, on peut s'y fier. Vous savez pourquoi il vous regarde un peu fixement parfois ? Parce qu'il hait les flics. Il sait que vous en étiez un, bien sûr, ce n'est pas un grand secret. – Cela me rassure, je craignais que tout bêtement il me juge antipathique, ce qui est toujours désagréable. – L'un n'empêche pas l'autre, Jimmy Durante. – Cela peut se comprendre, à une autre époque des gens détestaient les curés, pour rien, par principe, alors qu'ils n'en avaient jamais vu de leur vie. Est-ce que votre Wilkinson appartient à cette école ? – Non, il a des raisons personnelles, c'était un rebelle, un mauvais garçon, un récidiviste, il s'est fait sévèrement cuisiner dans les sous-sols, et pour finir ils l'ont marqué électroniquement. – Le vrai marquage ? Vous en êtes sûre ? – Ce n'est pas le genre d'exploit dont on se vante. Mais ne le répétez à personne.

Beaucoup de jeunes réfugiés portaient la puce, il s'agissait de délinquants de droit commun ordinaires qui n'avaient pas compris ce qui les attendait dans les services paramédicaux des Organes et n'avaient pas fui à temps. Trouver refuge dans la Péninsule, c'était aussi une manière d'échapper à ce tatouage. Au-delà de la ligne de démarcation leur *appareillage* cessait d'émettre faute de relais de transmission, la puce cherchait en vain des récepteurs auxquels envoyer des signaux ; eux-mêmes redevenaient invisibles, disparaissaient des écrans de contrôle. Ils en arrivaient à oublier complètement leur marquage et se mettaient à échafauder des projets d'évasion ou des projets d'avenir ou d'évasion.

C'était le cas de Wilkinson. Son plan consistait à s'échapper par voie de terre, à atteindre un grand port de la côte nord, deux ou trois cents kilomètres plus loin, et à monter à bord d'un cargo en partance pour l'Australie. Un cargo en partance pour l'Australie ? Rien que ça ! Et pourquoi donc ? Selon lui l'Australie avait jusqu'à maintenant réussi à échapper à l'emprise du Comité mondial de la santé et à ses directives, elle devait peut-être ce privilège à son insularité, elle n'avait aucun pays frontalier et ne pouvait contaminer personne par son mauvais exemple, et puis elle ne représentait aucun intérêt stratégique. Le concert des nations tolérait qu'elle accueille trois ou quatre gouvernements en exil qui ne gênaient guère, dans ces conditions personne ne contestait sa neutralité. Selon des estimations fluctuantes d'autres pays gravitaient autour de la ligue (informelle) des Neutres, généralement des îles, l'Islande, Madagascar, mais aussi des contrées périphériques, l'Argentine, l'Afrique du Sud, cependant ce n'étaient pas toujours les mêmes, la situation était mouvante. On avait renoncé à tenir les comptes, à quoi cela aurait-il pu servir de savoir que l'île de Pâques ou les Bahamas avaient officiellement proclamé leur neutralité puisque de toute manière les vols pour ces pays étaient réservés aux citoyens en règle et les contrôles biométriques dans les aéroports imparables. Mais Wilkinson était un irréductible. Quand le ciel était dégagé, il montait le soir sur le toit des Mouettes autour de vingt-trois heures et déployait son matériel. C'était le meilleur créneau horaire pour espérer obtenir une communication. À cette heure-là le trafic aérien était particulièrement dense, on parvenait à établir de temps à autre une connexion au Web ou au réseau téléphonique par le biais des aéronefs volant à moyenne altitude. Wilkinson réussissait à rester connecté une minute, une minute et demie, obtenait des bribes d'informations, souvent incompréhensibles. La liaison n'était jamais assez longue, les nouvelles ressemblaient à un puzzle auquel il manquerait les trois quarts des pièces. Wilkinson relevait et notait pêle-mêle une mystérieuse démission au sein du Comité mondial de la santé, la fin d'une épidémie en Afrique, l'exécution publique d'un ancien président de la Russie, etc. Quand il faisait part de ses découvertes, les gens haussaient les épaules, mais pourquoi donc s'acharnait-il ainsi à gribouiller ces incohérences, de toute façon on n'avait plus rien à faire de ce qui pouvait arriver dans le monde extérieur, on ne sortirait plus jamais d'ici. Wilkinson croyait savoir que des cargos australiens faisaient régulièrement escale dans ce port du nord-est. Comment montait-on à bord d'un cargo australien sans papiers d'identité ? Pour éviter tout incident diplomatique, les Neutres respectaient scrupuleusement les accords signés, refoulaient les demandeurs d'asile qui tentaient de s'embarquer, les livraient aux autorités. De toute façon, l'accès aux installations portuaires était étroitement surveillé. Pour un candidat à l'évasion c'était une course d'obstacles infranchissables. Il lui aurait fallu s'embarquer clandestinement ou trouver un capitaine qui l'accepte à bord on ne sait pourquoi, à la condition d'avoir réussi à s'introduire dans la zone portuaire. Auparavant il aurait dû parcourir à pied trois cents kilomètres en milieu hostile. Dès la première minute de son retour dans le monde extérieur la puce incrustée de Wilkinson recommencerait à émettre. Comme elle avait été muette pendant deux ans ou plus, l'ordinateur central se mettrait aussitôt en alerte, un contrôleur n'aurait qu'à appuyer sur une touche pour faire apparaître le casier judiciaire, Wilkinson serait automatiquement repéré puis suivi à la trace, on ne le lâcherait plus.

Si jamais vous lui parlez, dit Valentina, surtout évitez de mentionner tout ça, il ne supporte pas que l'on sache pour son marquage, cela le contrarierait d'apprendre que vous avez appris des choses sur lui. – Je promets tout si vous me jurez que vous n'avez jamais eu de rapports intimes avec lui. – Ce genre de question relève de la vie privée, et je ne vais pas aujourd'hui commencer à établir des listes roses ou des listes noires. Si pour vous faire plaisir je consentais à démentir aujourd'hui l'hypothèse Wilkinson, vous tiendriez ensuite pour acquis que tous les autres sur lesquels je me tais ont été mes amants, nous n'en finirions pas, vous me sortiriez des listes de noms trouvés dans les anciens annuaires téléphoniques. Sachez seulement que Wilkinson n'a jamais été un mari, vous n'avez aucune raison d'être jaloux. Je le trouve touchant, c'est vrai, cela n'a rien à voir avec ce que vous croyez. – Vous le trouvez touchant ?

La caresse de sa main gauche se fit plus insistante, Vous ne m'avez pas encore embrassée, il me semble. Lorsque je me fus exécuté, elle soupira, D'ailleurs il n'y a aujourd'hui personne dont vous puissiez être jaloux, c'est là tout le problème. Vous vous rendez compte, me voilà en train de m'afficher avec un ancien agent des Organes, n'est-ce pas une preuve d'amour irréfutable ?

À propos de Wilkinson, je ne veux pas vous inquiéter inutilement, mais à votre arrivée il avait conçu le projet de vous tuer, pas à ma manière fantaisiste, lui avait vraiment décidé de passer à l'acte, il n'attendait que l'occasion propice. Il m'en a parlé, je l'ai convaincu d'y renoncer, je lui ai dit que ça ne servait à rien, que c'était absurde. Wilkinson m'écoute, il a compris et m'a promis de ne rien faire. Mais évitez tout de même de rester seul avec lui.

12

Le sac de voyage était une valise de bonne dimension et la valise une énorme malle qui avait peut-être connu l'époque des bateaux à vapeur et de Phileas Fogg, Cela ne vous gêne pas si je laisse quelques effets chez vous, ce sera plus pratique, demanda-t-elle sans vraiment attendre de réponse. – Bien entendu. Je réfléchis seulement à la meilleure manière de transporter ces deux énormes choses jusque chez moi. – Je suis habituée aux déménagements. Il y a toujours des gars prêts à vous aider moyennant pourboire.

La patronne avait la solution à nos problèmes. L'un de ses employés de cuisine faisait des extras, il avait un pousse-pousse à deux places pour les visites guidées en bord de mer, une grosse brouette et un diable tout-terrain pour les petits déménagements de proximité.

J'avais l'intention d'utiliser un bagage moins encombrant, dit Valentina une fois le chargement arrivé à destination au huitième étage des Mouettes, mais à force de ne pas pouvoir choisir entre ceci et cela, je me retrouve avec des montagnes de vêtements, mais regardez plutôt comme cette malle de voyage est astucieuse. Elle s'empressa d'en faire la démonstration. Posée à la verticale, la cantine s'ouvrait entièrement pour constituer un dressing portable à taille humaine où l'on pouvait dans l'un et l'autre compartiment suspendre des vêtements à des cintres, ce qui laissait de la place dans la partie basse du meuble pour deux tiroirs réservés aux chaussures et aux frivolités. Ça restera là, dit-elle, ainsi j'aurai de quoi me changer quand je viendrai ici, j'ai horreur de me retrouver sans mes affaires. – Dois-je comprendre qu'il s'agit seulement d'une partie de vos effets personnels ? – Oh, je dois en avoir deux fois plus chez Mathilde, c'est une maladie, je n'arrive pas à jeter les vieux trucs. Mais vous c'est le contraire, il n'y a rien ici, vous n'avez pratiquement aucun meuble à part une table basse bancale et deux vieux fauteuils, on dirait une cellule, certes bien tenue, mais une cellule de vieux moine esseulé tout de même, ce ne serait pas une mauvaise idée de meubler un peu tout ça, qu'en dites-vous ? J'approuvai. Elle suggéra dans un proche avenir, pourquoi pas demain, une visite chez un brocanteur du coin. Je me contentai d'un mmmm assez vague et lui expliquai qu'on trouvait aux étages infé-rieurs des Mouettes des quantités inimaginables de vieux meubles, Oui, je vois ça d'ici, dit-elle d'un ton sans réplique. Elle continua à marquer son territoire, retira d'un compar-timent un vanity-case de marque, disparut dans la salle d'eau où je l'entendis manipuler et ranger avec application des tubes et de petites fioles qui s'entrechoquaient dans des bruits secs et joyeux, J'espère que je ne dérange rien de vos petites habitudes, me lança-t-elle de loin en m'invitant à venir vérifier par moi-même, Vous ne pouvez imaginer la quantité de produits de ce genre que j'ai apportés avec moi lorsque j'ai passé les barrières, j'avais tout en double ou en triple, je n'ai pas regretté, les cosmétiques de qualité sont la plupart du temps introuvables par ici. Quant aux prix pratiqués, je préfère ne pas en parler.

Elle avait entièrement dégagé et dépoussiéré un rayon d'étagère, aligné à partir de la gauche et sur trois rangées impeccables un nombre effarant de petites bouteilles, puis disposé avec soin sur la droite de petits pots trapus contenant des crèmes ou du fond de teint, des tubes de différentes couleurs, des pinceaux et de petites brosses de forme variable, chaque objet ayant apparemment une fonction précise.

Vous avez vraiment traîné tout cela avec vous ? Elle leva les yeux au ciel, J'étais folle, je l'admets, j'en ai pris pour je ne sais combien de temps, un an, deux ans. Le Baron m'avait assuré qu'il y avait beaucoup de place pour les bagages, bien sûr il a été effaré quand il a vu ce qu'il y avait à transporter, mais à la fin on a réussi à tout faire tenir dans le van.

Le Baron.

C'est avec le Baron que vous êtes arrivée dans la Péninsule ? Elle interrompit son travail de rangement et me regarda d'un air étonné, Je croyais que vous le saviez. – Non je l'ignorais. Elle jeta un œil satisfait sur l'alignement des petits produits, Voilà, c'est parfait. Tenez-vous vraiment à connaître mon histoire, Jimmy ? Cela ne me dérange pas de vous en parler.

Le Baron était le bras droit de Luciano Negroponte. Lorsque celui-ci avait subi sa première garde à vue, l'associé avait compris qu'il serait le prochain sur la liste et commença par disparaître de son domicile. Le Baron venait de la Plaine et avait des relations dans le monde interlope. Il savait où trouver une planque, des fiers-à-bras, des armes, des faux papiers convenables, un chirurgien capable de vous dessiner une nouvelle physionomie. Entre deux gardes à vue, Negroponte avait confié à Valentina la combinaison d'un coffre dissimulé dans un petit bureau dont tout le monde ignorait l'existence. Il lui avait également donné les coordonnées du biper secret du Baron, à utiliser en dernier recours. Alors vous avez vidé le coffre et partagé son contenu avec le Baron à la condition qu'il vous fasse passer la ligne de démarcation ? – C'est un peu plus compliqué, dit Valentina. Au début je n'avais pas pris au sérieux les menaces qui pesaient sur

Luciano, je croyais qu'il arrangerait ça une fois de plus en arrosant un peu tout le monde. De toute façon cela ne risquait pas de m'atteindre, nous n'étions pas fiscalement conjoints, officiellement j'avais conservé mon adresse personnelle. J'étais naïve, je croyais qu'ils avaient besoin de vraies raisons pour jeter les gens en prison, de surcroît j'étais prétentieuse, j'avais une petite réputation, j'étais une artiste, comment aurais-je pu avoir été mêlée aux sombres histoires de Negroponte, à supposer qu'elles fussent frauduleuses. Vos collègues des Organes ne voyaient pas les choses de cette manière. Je fus interpellée devant une vingtaine de témoins un après-midi au théâtre Excelsior, en pleine répétition de *Jules César*, le Shakespeare dont j'assurais la musique de scène. De manière à frapper les imaginations ils me firent sortir du théâtre encadrée par quatre messieurs en uniforme, on me fit monter dans l'une des deux voitures à gyrophare qui stationnaient devant l'entrée principale et provoquaient déjà un attroupement. – Où vous ont-ils emmenée ? Au Confessionnal, je suppose. – Oui, j'ai su par la suite que cela s'appelait le Confessionnal. Au sous-sol. Ils m'ont interrogée pendant soixante-douze heures. Avez-vous déjà visité les lieux, Jimmy Durante ? – Une seule fois. Au cours d'une enquête je m'y suis retrouvé après une erreur d'aiguillage, mais j'ai réussi à en ressortir assez rapidement. – En effet, il vaut mieux ne pas s'y attarder et quand on en ressort, on essaie de tout oublier.

Mais elle avait commencé, autant aller jusqu'au bout, Vous devez connaître leurs manières, après trois jours de garde à vue ils m'ont relâchée comme cela, sans qu'aucune accusation soit formellement portée, sans dire non plus que le dossier était clos, bien au contraire, pour les besoins de l'enquête ils me demandaient de me tenir à leur disposition. Par prudence ils ont pris mes coordonnées anthropométriques qui, depuis ce jour, sont gravées sur le disque dur de l'ordinateur central.

Elle avait compris, Negroponte était condamné, et vu l'importance de l'affaire ils ne se limiteraient pas à lui, l'entourage finirait également dans le box des accusés. Valentina s'attendait à tout moment à être convoquée de nouveau, entre-temps leurs caméras de contrôle ne perdaient sans doute pas une miette de ses allées et venues, de ses rencontres et de ses conversations, et si par hasard elle se murait chez elle trois jours de suite, une lumière devait se mettre à clignoter chez le juge instructeur pour signaler le comportement anormal de la suspecte Ordjonikidze. La prochaine fois qu'on l'amènerait au Confessionnal, elle en ressortirait équipée de la puce irréversible, elle en était sûre, ou alors direction un camp de travail. Dès sa remise en liberté, elle avait réussi à établir un contact protégé avec le Baron. Celui-ci n'apparaissait pas encore sur les avis de recherche, mais ce n'était qu'une question de jours. Dès le déclenchement de l'affaire il avait pris ses dispositions, détruit les dossiers sensibles, mis beaucoup d'argent liquide dans une sacoche et disparu de son domicile. En attendant de voir comment la situation évoluerait, il avait trouvé une planque sûre dans un secteur de la grande banlieue est, tellement sordide et mal famé que les flics renonçaient à y rechercher les malfrats, À quoi bon, disaient-ils, puisqu'ils s'entretuent tout seuls. Le Baron n'avait aucune intention de passer là le reste de ses jours, mais pour l'instant il était introuvable, inexistant sur les écrans de contrôle. Certes il était le bras droit de Negroponte, son nom était forcément en tête de liste, le mandat d'arrêt devait déjà être signé, mais qui sait, il y avait parfois des miracles ou des ratés dans le système, les Organes se mettent à votre recherche, vous traquent en vain pendant des semaines, finissent par renoncer et vous déclarent légalement disparu, ils classent votre fiche et se consolent en rajoutant dans la procédure une poignée de nouveaux suspects pour compenser votre absence et faire un compte rond. De telles bizarreries étaient rarissimes, mais elles s'étaient déjà produites.

Un rendez-vous téléphonique fut fixé dans l'après-midi. Depuis un appareil décodé non localisable, le Baron appela Valentina sur un téléphone jetable. Je pars demain en fin de soirée, dit-il, tu peux venir avec moi si tu veux. Là où je vais l'espérance de vie n'est pas très longue d'après ce qu'on dit, mais ici il n'y en a plus du tout, ni pour moi ni pour toi. Il lui parla en deux mots de cette ZER dont elle ignorait tout. Pourquoi pas ? dit-elle. Il lui demanda si elle avait de l'argent, non, mais elle pouvait en trouver. Et Luciano ? Luciano, personne ne pouvait plus rien pour lui. Sur l'écran de géolocalisation elle fit apparaître les images du bureau indiqué par Negroponte, il se situait à la périphérie, dans une rue animée d'une ancienne ville nouvelle. L'immeuble était anonyme et décrépit, on pouvait supposer que les étages n'avaient jamais été équipés d'appareils de surveillance, sauf autour des ascenseurs. Si les enquêteurs étaient en train de la suivre à la trace, ils la repéreraient à l'entrée du building, au milieu du passage, mais ils ne pourraient jamais savoir à qui elle avait rendu visite parmi les centaines d'occupants répertoriés sur dix étages, il lui suffirait de porter un chapeau à large bord pour monter dans l'ascenseur et à tout hasard de sortir deux étages plus haut que celui du bureau en question. Dans le coffre, il y avait deux liasses totalisant très exactement cent mille UC en billets de cent, comme si Negroponte avait prévu de longue date l'éventualité d'une fuite précipitée. Le lendemain elle mit ses affaires en ordre, disposa dans deux grandes malles et trois valises les effets personnels qu'elle comptait emporter, Prends avec toi tout ce dont tu as besoin, le reste tu ne le reverras pas, avait dit le Baron, ne t'en fais pas, il y a de la place dans le van. Le lendemain soir vers vingt-trois heures, il avait garé le véhicule aux vitres teintées dans une ruelle face à l'entrée de service de son immeuble. Les Organes finiraient par avoir les images de ce déménagement nocturne, mais elles seraient de mauvaise qualité, et quand ils les visionneraient les fuyards seraient hors d'atteinte.

Le Baron avait de grosses sommes d'argent avec lui. Il avait tout organisé, acquis à un prix abordable ce van en bon état et aux numéros de série trafiqués, pris contact avec les membres d'une équipe d'inspection, le lendemain à l'aube ils avaient prévu de passer le checkpoint avec un chargement *humanitaire*, la routine. En fait le camion serait aux trois quarts vide et on pourrait y entasser tous les bagages qu'on souhaitait. Les inspecteurs devaient se douter de quelque chose et avoir flairé le client important aux abois, ils étaient devenus gourmands, demandaient dix mille UC pour chacun des deux clandestins, et on leur laisserait le van qui en avait coûté douze mille.

Il y avait cinq cents kilomètres de route pour arriver à la ligne de démarcation. Peut-être à cause de la tension et des angoisses des derniers jours, Valentina s'endormit d'un sommeil profond une demi-heure après avoir pris place dans l'habitacle paisible et rassurant. Parfois elle se réveillait à moitié, le temps d'apercevoir les lumières de l'autoroute qui défilaient en accéléré. À un moment elle comprit qu'ils avaient fait halte dans un relais routier, à quelques kilomètres de la côte, le Baron était sorti pour se dégourdir les jambes, il avait avalé un café au comptoir et en avait rapporté un à tout hasard pour elle dans un gobelet fermé. Merci, c'est si gentil de ta part, s'entendit-elle dire, mais c'est vrai qu'il lui paraissait maintenant gentil et attentionné, c'était certainement dû à la situation où ils se trouvaient, seuls au milieu de cette aire d'autoroute blafarde. Elle était maintenant réveillée et prenait du plaisir à boire son café à petites gorgées. J'ai vu la nouvelle sur les écrans au relais autoroutier, dit le Baron, Luciano Negroponte a été découvert chez lui cet après-midi, on dit qu'il s'est suicidé d'une balle dans la tête.

Valentina ferma les yeux à cette évocation et poussa un profond soupir, comme si elle voulait purger sa mémoire de ce souvenir encombrant. C'est vrai que le Baron était quelqu'un de très attentionné, murmura-t-elle comme pour elle-même. J'ai passé dix mois à East Point avec lui, peut-être parce que je n'avais pas d'autre endroit où aller, et peut-être aussi parce que ses manières de brute m'attiraient. Ce qu'il préférait c'était de m'insulter au lit, je n'avais jamais entendu tant de gros mots, il se disait – je cite – adorateur de ma croupe, je vous passe les détails, tout cela ne l'empêchait pas de se montrer parfaitement courtois avec moi quand il y avait du monde. Mais je n'étais pas amoureuse. Il le savait. Quand j'ai voulu le quitter, il n'a rien fait pour me retenir, il était bien trop orgueilleux pour ça. C'est un homme bien.

Valentina parut lasse et son regard se perdit dans le vide. Elle alluma une cigarette et se laissa tomber dans le fauteuil. Dehors il faisait presque nuit, J'aime bien la nuit mais parfois elle me fait peur, dit Valentina, heureusement ça ne dure pas. – Cette affaire Negroponte, elle était importante, c'était une affaire de haut niveau, n'est-ce pas ? – Oui, c'était énorme. – Est-ce que par hasard ce Negroponte a eu à traiter avec un certain colonel Troubetskoï ? – Oui, je n'ai moi-même jamais rencontré ce monsieur, mais en effet Luciano a eu affaire avec votre ami Anatoli Troubetskoï.

13

Valentina m'avait averti de la grande fête qui se préparait au Château.

Je trouvai l'enveloppe glissée sous la porte de ma chambre. Elle contenait un carton d'invitation des plus cérémonieux portant un en-tête gaufré aux armoiries réelles ou imaginaires de la maison Van Meegeren. Il y était dit que Mathilde invitait M. *Jimmy Durante à se joindre à elle et à quelques amis chers pour célébrer son dernier anniversaire ce samedi 2 décembre à partir de vingt et une heures. Tenue de soirée souhaitée.* Quelqu'un avait rajouté à la main : *Un véhicule viendra vous prendre à votre hôtel à vingt et une heures précises.*

Malgré de fréquentes visites à Valentina depuis son installation chez Mathilde, j'avais à peine revu la maîtresse des lieux, je l'avais tout au plus aperçue de loin alors que nous nous baladions en bord de mer. Elle avait des horaires bizarres et semblait vivre en recluse, recluse de luxe puisque ses appartements au premier étage comptaient plusieurs pièces de grande dimension donnant sur une magnifique terrasse à balustrade en bord de falaise.

Le Château était une maison de brique et de pierre de quatre étages dressée sur un promontoire qui tranchait sur le plat de la côte environnante, comme si en cet endroit précis de mystérieuses forces souterraines avaient produit une soudaine boursouflure haute de cinquante mètres dont la tranche rocheuse torturée portait le souvenir. On avait baptisé l'endroit « baie des Disparus », parce que de nombreux désespérés y étaient venus mettre fin à leurs jours, il suffisait d'avancer au bout de ce terrain plat et verdoyant qui n'était délimité par aucun garde-fou et de continuer sa marche comme par distraction pour faire une chute vertigineuse et régler tous ses problèmes existentiels en trois ou quatre secondes. Avec les rochers acérés qui affleuraient à la surface de l'eau vous ne risquiez pas de vous rater, aussitôt après les puissants rouleaux compresseurs chargés de l'écume des courants contraires vous emporteraient à coup sûr vers le grand large, ainsi pouvait-on disparaître à jamais du monde des vivants sans même avoir connu la putréfaction.

Valentina est fort agréablement logée dans une double chambre avec salle de bains et vue sur le grand large, mais dans une annexe de construction plus récente qui ne communique pas directement avec la partie principale du manoir. On ne sait pas vraiment ce que fait Mathilde de ses journées ni même qui elle héberge, en contrepartie on peut aller et venir sans qu'elle soit au courant de vos déplacements. Parfois, tandis que je me prélasse en écoutant de la musique enregistrée de sa collection personnelle, la réflexologue va prodiguer ses soins à la châtelaine, Mathilde a des douleurs de plus en plus difficiles à supporter, elle tente de ne pas abuser de la morphine pour en prolonger les effets. Les massages de la plante des pieds lui procurent un certain soulagement. Elle aime également que Valentina lui joue de la musique. L'autre jour elle lui a interprété une suite pour violoncelle seul de Bach. Mathilde a pleuré silencieusement.

La vie quotidienne ici ne me change guère des Mouettes. On finit par ne vivre que le jour, on n'a pas le choix à cause du rationnement de l'électricité. À la nuit tombée, les abords de la maison et les parties communes sont plongés dans l'obscurité. De l'extérieur, on aperçoit tout juste quelques lueurs vacillantes aux fenêtres. Mathilde elle-même se fait un point d'honneur de ne pas abuser de l'éclairage. Tant qu'à prolonger indéfiniment la veillée à la lumière de lampes de camp, les gens préfèrent se mettre au lit de bonne heure. Avant je n'aimais que la nuit, ici je guette les levers de soleil, il arrive que je me réveille alors qu'il fait encore nuit, je m'installe dans un fauteuil face à la mer et je surveille les premiers frémissements du jour au-delà de la ligne d'horizon. L'état second que me procurent ces réveils précoces n'est pas si différent de celui où m'emmenaient l'alcool et les drogues dans des ports mal famés. Valentina peut être indifféremment une couche-tard ou une lève-tôt, parfois elle dort quatre heures, parfois elle reste douze heures de suite au lit, on ne sait jamais à quel moment une soudaine décharge d'adrénaline la jettera dans une nouvelle aventure, une sortie en mer pour aller pêcher au filet, un footing de cinq kilomètres autour de la propriété dans l'air frais du matin, ou simplement une balade qui nous mènera à un ponton en contrebas où un vendeur ambulant tient un comptoir les jours de pêche. Le soir on dîne tôt. Parfois on arrive à mettre la main sur un vieux film, mais c'est de plus en plus rare car les supports techniques se sont détériorés, on organise alors une soirée cinéma chez le voisin qui dispose d'un projecteur de précision. Depuis quelque temps nous nous amusons à des jeux de société. Nous avons récemment hérité comme voisin d'étage d'un ancien trader plutôt halluciné, sa tête avait été mise à prix en raison du trou de plusieurs milliards qu'il avait creusé dans sa propre banque. Il a une gueule de voyou, n'a pas cinquante ans. Ce Joe Rastoul est un locataire qui paye au prix fort, il passe pour avoir beaucoup d'argent et ne tient pas en place, il est si agité que je le soupçonne de faire partie des écervelés qui méditent des projets d'évasion extravagants. Dans ses bagages traînait un exemplaire complet et en parfait état d'un jeu très ancien un peu oublié, le Monopoly, qui tourne autour de l'immobilier. On débauche en général un quatrième joueur pour compléter le tour de table et on attaque une partie qui souvent se prolonge jusque tard dans la soirée. Valentina trouve ce Joe très drôle, un peu trop à mon goût. Mais lui est un accro du jeu, c'est un *pathologique rare* comme on disait dans les salles de jeux, il développe d'innombrables théories dans le domaine du hasard et des probabilités, il a les yeux brillants quand il en parle. Depuis qu'il a appris ma situation enviable aux Mouettes, il me harcèle pour se faire admettre à la table de poker d'Oncle Ho, il est d'autant plus charmeur avec les belles femmes qu'il n'a aucune intention à leur égard.

Dans la nuit de vendredi à samedi, le thermomètre avait brutalement chuté. Aux Mouettes, on renonçait à chauffer les parties communes. À l'extérieur, c'était glacial. À l'heure dite où le chauffeur envoyé par le Château devait passer me prendre, je constatai dans le hall au rez-de-chaussée la présence du Pr Ariston Pitt en personne. Il flottait dans un smoking impeccablement repassé mais usé jusqu'à la corde, même son nœud papillon semblait avoir connu diverses guerres mondiales. Je ne lui cachai pas ma surprise de le voir se joindre à nos futiles mondanités. Personne d'autre dans la maison n'avait été invité, pas même l'Oncle Ho, mais on savait qu'il n'acceptait jamais aucune invitation de ce genre, et Mathilde Van Meegeren n'était pas encline à laisser entrer chez elle un rustre comme Pomodoro ou un individu aussi louche que Borsellini. Pitt devait-il son invitation à de mystérieux liens intimes avec la propriétaire ? Il leva les yeux au ciel, J'ai été personnellement invité par Mme Van Meegeren, et dans des termes si aimables que je ne pouvais refuser, elle m'a écrit que ce congrès amical était voué au pardon des offenses, je ne sais pas lesquelles en particulier, je ne sais rien d'elle sinon qu'elle jouissait d'une jolie notoriété il y a longtemps, j'avais dû entendre ce nom à cette époque, mais je ne l'ai jamais personnellement rencontrée. Elle m'a fait savoir et soutient mordicus que nous avons déjà eu des affrontements terribles il y a de cela un quart de siècle, elle était devenue à vingt ans et des poussières la nouvelle star de la spéculation sur les produits dérivés et moi j'étais encore la conscience de la nation, il paraît que, dans une tribune sur les excès de la financiarisation de l'économie, je l'aurais nommément mise en cause et traitée de *Baby Barracuda*. Je n'ai aucun souvenir de cet épisode, peut-être avait-elle un autre patronyme à l'époque. *Baby Barracuda !* Vous vous rendez compte de la vulgarité ! Cela ne me ressemble pas.

Deux coups de klaxon nous signalèrent l'arrivée du véhicule envoyé par le Château. Peut-être parce que la châtelaine ressentait pour des raisons personnelles le besoin d'impressionner le docte vieillard, elle nous avait envoyé son chauffeur en tenue. Ariston Pitt enfila sans se presser un manteau d'hiver lui aussi élimé, mais solidement doublé et pourvu d'un col en fourrure. Un œil distrait aurait pu ne voir en lui qu'un vieillard chétif tombé dans la pauvreté, mais à observer de plus près ses manières exquises, mélange de fausse modestie et de discrète indifférence, il aurait deviné l'ancien conseiller du prince, celui qui avait l'habitude d'être servi, on portait ses bagages et il n'avait connu pour ses déplacements que les jets privés et les trains spéciaux. Si la soirée devait se prolonger jusqu'à des heures déraisonnables, je veux dire pour un vieillard dans mon genre, me glissa-t-il comme si j'avais besoin d'être rassuré sur son sort, Mme Van Meegeren m'a juré qu'elle me ferait reconduire.

Le chauffeur prit la peine de descendre de voiture pour nous ouvrir à chacun la portière, puis reprit sa place au volant en frissonnant, Qu'est-ce que c'est que ce froid polaire, dit-il en se frottant les mains, le thermomètre est tombé de dix degrés alors qu'il n'y a plus un souffle de vent, vous trouvez ça normal vous ? Oui, c'est normal, se contenta de répondre le vieux Pitt d'un ton courtois mais définitif.

Il s'agissait à n'en pas douter d'une soirée particulière, car au Château on avait fait des frais. Dès le poste de sécurité on apercevait la façade de la demeure illuminée par deux torches puissantes et au travers des fenêtres une débauche de lumières.

Le chauffeur nous conduisit à l'intérieur après avoir donné deux coups de sonnette. Une fois passé le vestibule, une porte côté droit donnait sur un grand salon auquel la maîtresse de maison avait apporté sa touche *gemütlich*, selon l'un de ses adjectifs préférés : canapés et fauteuils lourds et patinés, mobilier de couleur sombre, feu de bois crépitant dans la cheminée, piano à queue au fond dans la pénombre. Avec ses portes-fenêtres offrant de trois côtés une vue sur la mer et les falaises, la pièce ressemblait à une immense cabine de pilotage ou à un jardin d'hiver.

Langoureusement allongée côté cheminée dans l'un des deux canapés qui se faisaient face, emmitouflée dans un châle qu'elle avait rajouté à son foulard autour du cou, Mathilde Van Meegeren, le teint toujours aussi pâle sous le maquillage, eut pourtant un geste joyeux à notre intention, N'est-ce pas le chevalier servant de notre belle Valentina, celui qu'elle nous cache depuis des semaines ! Venez qu'on vous revoie de plus près. Je m'approchai pour lui faire le baisemain qui s'imposait dans ces circonstances. Valentina me dit que vous possédez des qualités cachées qui feraient presque pardonner vos activités antérieures pour le compte de l'État, plaisanta-t-elle en me tendant la main. Elle fit mine de découvrir mon compagnon de route et adopta un ton presque déférent, Ah, professeur, vous me pardonnerez de rester assise, je suis un peu fatiguée, cela me fait un tel plaisir que vous ayez accepté mon invitation, vous me faites un grand honneur. — Il paraît que je me serais un jour conduit comme un goujat à votre égard, je suis venu me faire pardonner, dit-il en prenant place dans l'autre canapé comme elle l'y invitait.

Nous étions une douzaine d'invités, tous faisant plus ou moins cercle autour de Mathilde. Outre Valentina, je reconnus de loin Archibald Cox le vieux conseiller fiscal, Branco le supposé gigolo, notre voisin de palier et trader Joe Rastoul, il y avait aussi un couple de bourgeois d'âge moyen en tenue de soirée, elle fort élégante et la peau du visage irréprochable, lui silhouette de vieil adepte de fitness, mâchoire carrée et crinière drue de play-boy blanchi sous le harnais, l'homme et la femme étaient venus d'East Point pour la soirée et avaient emmené avec eux un troisième homme également tiré à quatre épingles et tout aussi rompu aux bonnes manières.

Mathilde prit la petite assemblée à témoin, Mes amis, je crois que vous connaissez tous le professeur Ariston Pitt au moins de réputation, ne serait-ce qu'en raison de la fausse nouvelle de sa mort, il n'y a pas si longtemps, le canular avait fait beaucoup de bruit. — Oui, je suis redevable aux autorités compétentes de m'avoir quelquefois rappelé du néant où je végétais, vieille vedette sombrée dans l'oubli. — Professeur, vous étiez une idole pour happy few, comme on disait alors, et vous l'êtes resté. Vous savez qu'à dix-huit ans je suivais assidûment vos séminaires à Polytechnique. — À dix-huit ans ? Est-ce que vous étiez de celles qui s'asseyaient au premier rang ? Mais c'était hier à en juger par votre jeune âge, et j'étais déjà un quasi-retraité de la scène publique. — En effet c'était hier, cela ne fait guère plus de trente ans, il me semble. C'était l'époque de *Économie de marché et cannibalisme*, très exactement, car c'était le sujet de votre séminaire. – *Économie de marché et cannibalisme*, grands dieux, cela nous ramène à la préhistoire. – Il me semble que vous annonciez l'apocalypse plutôt que la préhistoire, mais au final cela revient au même. Quoi qu'il en soit, j'étais l'une de vos jeunes admiratrices et je m'asseyais au premier rang, mais je n'étais pas la seule et vous ne m'avez jamais remarquée. Voilà pourquoi vous n'avez sans doute jamais fait le lien avec l'épisode suivant : j'avais fondé une start-up financière avec une copine de fac, Filippina Townsend, j'admets qu'elle avait beaucoup de sex-appeal, j'en avais un peu également, nous fûmes sacrées femmes de l'année, les magazines féminins, économiques, généralistes, les télés nous couraient après. On nous appela les « dames de choc », les « exterminatrices de charme », etc. Notre boîte avait connu un démarrage foudroyant, nous ramassions des millions… – Et ce serait alors que je vous aurais traitée de *Baby Barracuda* ? Rétrospectivement cela me fait honte et je vous présente mes excuses. – Je me vante un peu, professeur Pitt, c'est surtout la notoriété de notre start-up de jeunes carnassières qui avait attiré votre attention, vous en aviez fait un symbole de l'époque, mais hélas, le surnom de Baby Barracuda ne m'était pas réservé, il s'appliquait à toutes les jeunes femmes dans mon genre, prêtes à tout et sans scrupule. Je crois me souvenir que la tribune s'intitulait *Le Couronnement de Baby Barracuda*. J'aurais préféré avoir le titre pour moi toute seule, mais j'étais néanmoins flattée que vous ayez une pensée pour moi. – On était volontiers excessifs à cette époque. – Il vous est même arrivé d'invoquer je ne sais quel avenir radieux. – Ce devait être sur le mode ironique, pour ma part je ne croyais pas trop à l'avenir radieux, j'appartenais plutôt au clan des *bricoleurs*, comme on disait alors, je croyais qu'on pouvait encore retarder l'apocalypse. C'était déjà trop demander et je dois avouer que j'avais tort. – Quoi qu'il en soit, le surnom dont vous nous aviez affublées ne me déplaisait pas. Le barracuda est, paraît-il, l'un des poissons les plus intelligents, ou l'un des moins idiots, en tout cas c'est un bon chasseur, il est rapide et musclé, il travaille en solitaire et il est d'une grande élégance, que demander de plus ? – Je n'en savais pas autant sur les barracudas, j'aurais dû me documenter, mais je regrette surtout de ne pas m'être renseigné davantage sur votre compte lorsqu'il en était encore temps, croyez bien que je le regrette. – Vous étiez trop occupé à réfléchir, professeur, pour vous intéresser aux filles qui faisaient la une des magazines. – J'ai été sérieux beaucoup trop longtemps.

Bien que les femmes fussent en robe de soirée et les hommes en smoking, à l'exception de Rastoul et de moi-même, costume sombre et chemise blanche à col ouvert, Mathilde avait prévu, comme elle le dit en faisant mine de s'excuser, Une soirée à la bonne franquette, au diable l'étiquette, on ne fera pas de chichis entre nous, n'est-ce pas ? Il n'y avait pas de dîner assis, des hommes de maison avaient simplement dressé un buffet où l'on allait se servir en huîtres, en petits poissons panés, en caviar de béluga, en champagne et en grands crus de bourgogne blanc. Chacun bougeait à son gré, de petits groupes se formaient et se défaisaient, on discuta pour savoir lesquels, des tomates, des champignons ou des huîtres, étaient les aliments les plus chargés en radioactivité, il y eut des conciliabules discrets et des discussions générales animées, quelques jeux de société, des charades, quelques lettrés s'amusèrent à un cadavre exquis. Au hasard d'un mouvement de chaises musicales, je me retrouvai voisin du playboy quinquagénaire venu d'East Point avec sa femme, j'appris qu'il était producteur de cinéma et elle une ancienne fille de bonne famille qui avait un jour mis un terme à une petite carrière théâtrale en se mariant. Ils étaient passés dans la Péninsule six mois plus tôt et avaient réussi à se loger à East Point dans une maison dont ils disaient le plus grand bien, Nous la partageons avec un vieux couple a-do-ra-ble, dit sur un ton posé l'épouse du play-boy, ils sont très durs d'oreille et on peut faire tout le bruit qu'on veut, mais on peut aussi faire la conversation lorsqu'ils ont rechargé leur appareil. Je ne leur demandai pas pour quelle raison ils se trouvaient ici, j'appris par la suite que le play-boy avait été embringué dans une ténébreuse affaire qui risquait d'entraîner également leur fils aîné. Pour lui éviter un sort funeste, le père et la mère avaient organisé leur propre disparition, on les croyait décédés, disparus au bout du monde, l'enquête policière avait fini par mourir de sa belle mort, le dossier avait été classé, et le fils avait pu continuer sa carrière sans être plus inquiété, sans même qu'on inspecte ses comptes bancaires. Depuis leur arrivée à East Point ils n'avaient plus aucun contact avec lui mais avaient récemment reçu des nouvelles (par le Baron), le rejeton se portait bien, il n'avait même pas été obligé de changer de domicile et d'adresse, il avait même réussi par un tour de passe-passe à acquérir un nouveau patronyme *compatible* pour éviter les ennuis au cas où le dossier de son père serait malencontreusement réactivé et porté sur la place publique. Êtes-vous heureux ici ? me demanda bizarrement la mère, peut-être pour mettre un terme au récit de leurs mésaventures, à moins que la question n'appelât véritablement une réponse. – Depuis que nous nous connaissons, Jimmy est extrêmement heureux, je vous le confirme, intervint joyeusement Valentina qui avait interrompu ses pérégrinations pour se poser à mon côté, et elle appuya son propos d'un geste de l'index dont l'ongle acéré vint délicatement titiller mon genou. – Je vous crois aisément, vous faites un si beau couple, répliqua sur le même ton affable l'épouse du play-boy, elle ne paraissait pas surprise de la sortie, elle avait probablement connu Valentina à East Point. Vu l'état de fatigue de Mathilde, Valentina s'était improvisée maîtresse de maison, s'enquérait des besoins des invités, veillait à la bonne marche du service et à l'approvisionnement du buffet, faisait des sourires par-ci, un bout de conversation par-là. Elle avait passé pour la soirée une robe noire toute simple dont le tissu léger et soyeux laissait deviner par moments la pâleur de sa peau et le tracé noir d'une jarre-telle. J'ai trouvé cette vieille robe au fond d'une malle, je l'ai mise pour vous, elle vous plaît ? claironna-t-elle à mon oreille de manière à se faire entendre de la bourgeoise raf-finée, celle-ci nous adressa un sourire entendu.

Un petit groupe s'était formé autour du guéridon où nous avions fait halte, Ariston Pitt se joignit à nous et quelqu'un s'empressa de lui amener une chaise. Le play-boy quinquagénaire en profita pour se renseigner, Je me demande bien comment se passent les hivers dans la région. – On dirait que cette année la saison froide arrive plus tôt que d'habitude, se contenta de dire le professeur. Et comme son interlocuteur semblait attendre la suite, Oh, vous savez, cela ne nous change guère, les soirées sont plus longues et nous restons plus souvent à la maison. Bien sûr c'est autre chose quand la neige s'installe pour de bon, cela complique les déplacements, il faut des pneus équipés de chaînes pour circuler et dans certains cas extrêmes seuls les véhicules à chenilles réussissent à passer, il faut juste stocker des provisions en conséquence, et puis la neige convient au paysage, elle est très apaisante, vous verrez.

Et ces infortunés vagabonds, comment survivent-ils ? demanda la bourgeoise. – Cela dépend, dit Ariston Pitt, ceux qui restent seuls sont pratiquement condamnés. Mais ceux qui vivent en bande ont de bonnes chances de survivre, ils établissent leurs campements dans des clairières au milieu des herbes hautes, avec des maisons en dur, des cheminées pour le feu. – Je m'inquiète aussi pour la sécurité, dit-elle encore avec un mélange de gravité et de détachement, vous comprenez, ces vagabonds qui errent dans la campagne, ils finissent par désespérer, je suppose, et cela peut devenir dangereux. – Ils ne sont pas tellement plus dangereux l'hiver que l'été, ils sont tellement affaiblis qu'ils n'entreprennent plus rien, et puis ils sont moins nombreux, avec le froid le flot des réfugiés se tarit. Il y a deux ans des bandes ont réussi à se fédérer, cela faisait au maximum deux douzaines d'agités armés de pierres et de bâtons, mais ils étaient pourtant dangereux. Ils ont attaqué et saccagé une grosse ferme, laissé derrière eux quatre morts et des blessés. Lorsque le drame a été découvert, on a organisé une expédition punitive dans les herbes hautes, rasé les campements et les cahutes. On a abattu une dizaine de ces malheureux à l'arme à feu, mais il y eut beaucoup plus de morts par la suite à cause du froid et de la faim. Certains s'entre-dévoraient, on a retrouvé des ossements humains sur des sites abandonnés. Pendant un certain temps, aucun *sauvage* n'osa plus s'aventurer hors de son territoire. En contrepartie les chefs de pôles se mirent d'accord pour organiser des distributions régulières de vivres et de produits de première nécessité à certains points fixes à la lisière de leur territoire. La belle bourgeoise fit remarquer que c'était si facile d'attaquer des gens quand ils circulaient en véhicule motorisé, son mari sortit de son silence pour lui expliquer d'une voix douce que les *sauvages* n'étaient jamais vraiment armés, alors que nous l'étions toujours, en tout cas les voyageurs avisés l'étaient. Sa femme sembla tomber des nues, Tu veux dire que tu as une arme avec toi et que tu pourrais tirer sur ces gens ? – Parfois on n'a pas le choix, ma chérie, dit-il sur un ton paternel.

Vers minuit, Mathilde, qui n'avait guère bougé de son canapé depuis le début de la soirée, donna le signal des divertissements, on tamisa les éclairages de manière à laisser dans la pénombre la plus grande partie du salon à l'exception de l'îlot central. La maîtresse de maison leva sa coupe, Mesdames et messieurs, chers amis, permettez-moi de boire à votre bonheur présent et à venir, mais aussi à la liberté que nous avons pu connaître dans notre nouvelle et dernière patrie, vous pourrez témoigner que, dans ce cadre imprévu où il fallait certes s'adapter, je n'ai jamais cessé de m'amuser et de profiter de l'existence. À ces mots, chacun leva son verre pour saluer la profession de foi.

Mathilde posa un doigt sur sa bouche pour inviter au silence. De la main elle indiqua un coin de la pièce plongé dans l'obscurité. S'élevèrent quelques notes de piano qui donnèrent l'impression de chercher leur chemin à tâtons. On entendit un violon, puis un violoncelle intervint à son tour. Au même moment, une main invisible actionna un variateur dans les coulisses, un halo lumineux apparut progressivement et se posa sur la violoncelliste Valentina Ordjonikidze qui, assise sur son tabouret, s'appliquait sur son instrument tandis qu'à son côté un piano Yamaha sans pianiste lui tenait compagnie. La partie du piano et celle du violon provenaient du bloc-source relié à deux haut-parleurs, Valentina leur donnait la réplique. Elle me confia par la suite qu'il s'agissait du troisième mouvement du trio « À l'Archiduc », de Ludwig van Beethoven. Mathilde était plongée dans ses pensées, les autres écoutaient dans le recueillement, même ceux qui de toute évidence n'avaient jamais entendu pareille musique de leur vie. Je ne sais si c'était le cas de la bourgeoise d'East Point, peut-être au contraire un déchirant decrescendo avait-il fait remonter à sa mémoire je ne sais quels souvenirs enfouis, je vis des larmes couler sur ses joues, elle sortit un mouchoir, Cette musique est si belle, dit-elle seulement, elle est belle, mais elle est si triste ! On applaudit chaleureusement l'artiste, qui salua son public et entama un rappel, un morceau beaucoup plus joyeux, la transposition pour violoncelle seul d'une certaine *Chaconne* de Vitali.

Le jeune Branco, très attentionné auprès de Mathilde tout au long de la soirée, avait lui aussi préparé une surprise. Il s'éclipsa un moment. On le vit réapparaître sur la grande terrasse qui prolongeait le salon face à la mer. Avec les moyens du bord, il avait préparé un spectacle pyrotechnique artisanal, de dimension modeste, mais qui à notre échelle bien réduite nous parut grandiose. Il y eut quelques ratés et des effets de pétard mouillé, mais le bouquet final, où dominaient le vert et le rose, fut de toute beauté, il explosa à la hauteur idéale, transfigurant pendant quelques instants cette sublime terrasse à balustrade sculptée, bordée de falaises.

Les invités restèrent un moment suspendus à cette dernière image, si on les avait pétrifiés à cet instant comme deux mille ans plus tôt l'avaient été les habitants d'Herculanum on les aurait exhumés souriants. Mathilde brisa le silence en tapant vivement deux fois dans ses mains, Chers amis, dit-elle de nouveau, je vous souhaite encore autant de bonheur que possible, ne faites pas attention à moi si je vous fausse compagnie, je suis un peu fatiguée, voilà tout, mais je ne veux pas gâcher votre plaisir et j'insiste pour que vous vous amusiez.

On vit apparaître Ariston Pitt, il traversa le salon à petits pas de vieillard, se dirigea vers le piano à queue et prit place sur le tabouret, Chère Mathilde, permettez-moi à mon tour de vous offrir avant que vous vous retiriez ce petit cadeau d'anniversaire tout à fait improvisé. Avec son vieux smoking et sa démarche fatiguée, il ressemblait à l'un de ces anciens artistes de piano-bar qui, faute d'avoir cotisé à une caisse de retraite, continuaient malgré leur emphysème à égrener machinalement de vieilles mélodies au milieu de la fumée des cigarettes et du brouhaha des conversations. J'avais un petit talent pour le piano à une époque lointaine, enfin un talent pour la musique légère, dit le professeur en adressant un sourire à Mathilde Van Meegeren, puis il attaqua d'une voix à peine hésitante un vieux morceau de comédie musicale entraînant et ironique, en s'accompagnant au clavier sans souci de précision extrême, avec la facilité débonnaire de ces pianistes spontanés qui vous exécutent n'importe quelle mélodie à la demande dans les soirées de famille. Tout le monde reconnut dès les premières mesures un air très ancien redevenu furieusement à la mode vingt ans plus tôt, *Heaven, I'm in heaven…* Il y eut quelques exclamations amusées et des petits cris de joie. Ah, Branco, vous qui connaissez tous les pas, venez danser avec moi avant de venir me border, j'adore *Cheek to Cheek,* je n'espérais plus l'entendre de nouveau de mon vivant, cher professeur vous me faites un si joli cadeau.

Branco était un danseur talentueux, il prit Mathilde par la taille et l'entraîna dans un lent tourbillon vaporeux dont je ne savais pas s'il obéissait aux lois du fox-trot ou de la valse légère, mais il était parfaitement accordé au rythme du piano. Mathilde et son cavalier continuèrent à virevolter dans les règles de l'art, dessinant à la fois de petits cercles sur eux-mêmes et un autre plus vaste à la limite d'une piste imaginaire. Le visage de la danseuse retrouvait quelques couleurs, mais lorsque le pianiste plaqua les derniers accords, elle s'appuya contre son cavalier et lui demanda de la raccompagner, Je crains que vous ne soyez obligé de me porter à l'étage, ajouta-t-elle en riant, et de la main elle envoya deux baisers à l'assistance.

On traîna encore un peu. Sans qu'on lui ait rien demandé, simplement par plaisir peut-être, le professeur Ariston Pitt poursuivait sa prestation de pianiste, enchaînant de vieux succès dont souvent personne ne connaissait plus le titre. Il avait une belle voix chevrotante de baryton-basse, parfois des paroles lui revenaient à la mémoire,

Do you smile to tempt a lover, Mona Lisa
Or is this your way to hide a broken heart ?
Many dreams have been brought to your doorstep
They just lie there and they die there
Are you warm, are you real, Mona Lisa ?
Or just a cold and lonely lovely work of art ?

La conversation avait repris sur un mode feutré, il fallait régler quelques problèmes pratiques, et d'abord s'occuper des invités venus de l'extérieur. Deux d'entre eux habitaient du bon côté, à huit cents mètres à peine du Château et pouvaient rentrer sans risque par leurs propres moyens. Le play-boy, son épouse et leur ami disposaient d'un véhicule très ancien mais robuste de marque Range Rover et d'un chauffeur aguerri, mais il était hors de question pour eux d'oser la traversée de la presqu'île d'ouest en est de nuit, il fallait attendre le lever du jour. Ariston Pitt suggéra une solution qui éviterait de mobiliser la limousine de la maison et arrangerait tout le monde : les visiteurs d'East Point le reconduiraient aux Mouettes, où une chambre double serait à leur disposition, ils pourraient attendre au lendemain et repartir à l'heure qui leur plairait. Il y aurait de la place pour leur chauffeur aux étages inférieurs.

Joe Rastoul avait fait apparaître comme d'une boîte à surprise une table de jeu comprenant une roulette de bonne dimension, un tapis vert réglementaire, les coffrets à jetons et même le râteau du croupier. Je ferai la banque, proposa-t-il. On lui demanda de combien il disposait et il prétendit qu'il avait de quoi tenir un bon moment, mais bien sûr on n'aurait qu'à arrêter si quelqu'un faisait sauter la banque, là-dessus il exhiba une surprenante liasse de billets de cinquante UC, on évalua à vue de nez qu'il y en avait pour quatre ou cinq mille, les bourgeois d'East Point, le conseiller fiscal et même Ariston Pitt manifestèrent de l'intérêt, on vit briller une lueur dans leurs yeux. Chacun était d'accord pour y aller de cinq cents UC. On convint de fixer à dix UC le prix des jetons, à trente la mise maximum sur un numéro plein, interdiction de quitter la table avant une heure, à moins d'avoir tout perdu, bien sûr, et chacun fébrilement prit place autour de la table en disposant devant lui les piles de jetons. – Vous allez jouer ? me demanda ma fiancée. – Pas si cela vous déplaît véritablement. J'avais le projet de jouer trois cents et pas un billet de plus. – Si cela ne dure pas trop longtemps, cela me convient, jouez cinq cents. Si vous gagnez cela m'excitera. – Alors je gagnerai.

Une heure plus tard, j'avais tenu ma promesse grâce à une martingale quasi infaillible que je pratiquais depuis deux décennies, elle combinait le binaire dans un premier temps, puis la règle des trois tiers, elle faisait merveille à deux conditions, la première d'avoir un peu de chance dans la phase initiale, la seconde de rester calme et patient dans la phase suivante, de surtout ne pas se précipiter. À l'issue des soixante minutes réglementaires, j'avais deux mille UC devant moi. Messieurs, si cela ne vous dérange pas, je crois que je vous porte malchance, je vais donc me retirer. Rastoul me jeta un regard dépité mais remplit son devoir de banquier. Personne n'avait gagné de grosses sommes et certains avaient perdu, la banque restait donc excédentaire. Rastoul aligna les billets. La partie continua pour les autres. – J'aime quand vous gagnez beaucoup d'argent, me dit Valentina, je songe à tous les cadeaux que vous auriez pu me faire si je vous avais rencontré à la bonne époque.

Elle alla chercher sa veste de fourrure et je retrouvai mon imperméable. Ceux qui ne jouaient pas à la roulette étaient retournés à leurs conciliabules. Personne ne faisait attention à nous. Valentina en était encore au champagne, je lui tendis une dernière coupe, je me versai un fond de meursault qui avait échappé à la razzia générale. Passons par la terrasse, dit-elle, il y a un petit escalier latéral qui conduit à l'annexe, c'est plus court. Peut-être verrons-nous passer un bateau comme l'autre soir, j'aime tellement les bateaux.

Le froid vif nous saisit au visage. Valentina frissonna, releva le col de son manteau et de sa main droite le referma sur son cou d'un mouvement qui me parut à cet instant le plus émouvant et le plus joli de l'histoire du monde. Ma main s'aventura entre les pans de sa veste de fourrure, retrouva la chaleur de sa taille souple et poursuivit son exploration familière au-delà de cette énigmatique frontière qui marque le début des mauvaises manières. Le manteau court s'arrêtait au-dessus des genoux, plus bas il n'y avait plus que le tissu léger de la robe noire pour protéger du froid, la peau était glacée. S'il y avait un éternel féminin, lui soufflai-je à l'oreille, vous en seriez une belle incarnation. Elle entrouvrit les lèvres pour se laisser embrasser, Vous me plaisez encore plus que vous ne le croyez, eut-elle le temps de me répondre à l'oreille. Puis elle ajouta, Il n'y aura sans doute pas de paquebot lumineux cette nuit, cela ne fait rien. Elle se plaqua contre moi, Je voudrais prendre votre sexe dans ma bouche, personne ne peut nous voir, je vous assure. J'ai tellement envie que vous ayez envie de moi.

Quand nous nous réveillâmes le lendemain, il était aux environs de midi. Le ciel uniformément sombre semblait annoncer des cataclysmes, il n'y avait toujours pas un souffle de vent, mais il me suffit de passer une main à l'extérieur pour constater qu'il faisait toujours aussi froid. Est-ce la fin du monde ? demanda Valentina, adossée à la tête de lit, les mains tenant frileusement les draps contre elle, les yeux fixés sur la ligne d'horizon. Pourquoi ne venez-vous pas m'embrasser, cela me donnerait du courage. Elle avait une machine à café, je préparai deux ristrettos et lui en portai un. Je la regardai s'habiller, une culotte de nylon rose montant à la taille qui lui donnait une allure de jeune fille, son pantalon kaki des jours de semaine et un simple tee-shirt blanc, tenue qu'elle compléta de classiques souliers à talons mi-hauts. Je m'inquiète pour Mathilde, murmura-t-elle comme pour elle-même.

Nous refîmes en sens inverse le chemin de la veille. Autour de nous régnait un silence lourd que soulignaient l'absence de vent et les cris rauques des goélands. On aurait dit que tous les humains du voisinage avaient disparu. Nous atteignîmes la grande terrasse. La porte-fenêtre était restée entrebâillée, ce qui nous permit de passer directement au salon. Il ressemblait à toutes les salles de lendemains de fête, tout le monde était parti se coucher en laissant sur les tables ou par terre les bouteilles vides, les cendriers débordants de mégots, les assiettes avec des restes de nourriture. Je trouvai quelque chose de rassurant dans cette saleté et ce désordre familiers, comme de vieux souvenirs de la vie ordinaire.

En nous rapprochant, nous aperçûmes Archibald, le vieux conseiller fiscal, engoncé dans un fauteuil, cheveux en bataille et tenue négligée, il consultait un dossier posé devant lui et avait l'air exténué. Il se tourna vers nous, le regard vitreux, Mathilde est morte cette nuit, elle est partie rapidement, elle n'a pas souffert.

14

Archibald l'avait découverte un peu plus tôt en allant frapper à sa porte comme chaque matin. Mathilde se levait rarement après neuf heures, bien qu'elle n'eût en général rien de particulier à son agenda. Elle avait conservé l'habitude de se réveiller tôt, elle était incapable de traîner au lit jusqu'à midi, même quand elle avait fait la fête jusqu'à l'aube. Archibald la retrouvait vers onze heures, elle était déjà habillée pour la journée, pomponnée, débordante d'énergie, plongée dans la lecture ou occupée à griffonner sur des cahiers. Elle lui servait le thé et ils discutaient de la bonne marche de la maison, approvisionnements en pétrole, règlement des salaires, réserve de médicaments, sélection d'un prochain locataire. Ils parlaient aussi du bon vieux temps.

Il n'y avait pas de réponse. Il avait frappé de nouveau avec insistance et finalement poussé la porte. Mathilde était étendue dans son lit, elle semblait dormir, mais elle était sans vie. Elle avait le visage apaisé, comme si elle était morte au milieu d'un joli rêve. De toute évidence, elle avait avalé une capsule de cyanure de la dernière génération, qui provoque une mort quasi instantanée sans convulsion, l'équivalent d'une crise cardiaque. La nuit précédente, après l'avoir ramenée à sa chambre, Branco lui avait tenu compagnie pendant plus d'une heure. Ils avaient parlé de choses et d'autres, d'ailleurs c'est elle qui parlait, malgré son épuisement elle avait une sorte d'exaltation dans la voix et le regard. Elle avait dû s'injecter une dose de morphine lorsqu'elle s'était retirée dans la salle de bains. Un peu plus tard la fatigue avait repris le dessus, Il vaut mieux que tu rentres te coucher et que je reste seule, mon chéri, avait-elle dit, dans quelques minutes je ne serai plus vraiment de bonne compagnie.

Branco nous rejoignit au salon, il était livide. Archibald l'avait prévenu trois heures plus tôt. Comme tout le monde il savait que Mathilde allait mal, les douleurs étaient de plus en plus fortes et la morphine n'agissait plus. Mais hier encore, il y a quelques heures à peine, elle était toujours aussi belle, intelligente et pleine de vivacité. Si l'on nous avait dit, Elle va bientôt mourir, elle ne sera plus là dans deux mois, nous aurions hoché la tête sans davantage nous émouvoir, deux mois cela semblait une éternité, c'était abstrait comme l'éternité elle-même, peut-être serions-nous morts entre-temps nous-mêmes. Nous savions qu'un de ces jours prochains Mathilde Van Meegeren se retirerait chez elle et avalerait une capsule de cyanure, mais *un de ces jours* ne voulait rien dire. *Un de ces jours* était l'équivalent de *jamais*. Tous ici nous allions mourir dans les deux ans à venir, peut-être même bien avant, mais nous n'y croyions pas vraiment.

Archibald et Branco avaient décidé d'organiser l'enterrement le plus rapidement possible. Mathilde aurait certainement souhaité être incinérée et voir ses cendres dispersées dans la mer, mais il n'y avait pas dans la région une seule chaudière à pétrole ou à charbon, faute de quoi on ne pouvait tout simplement pas brûler intégralement un corps.

Il était trop tard pour procéder le jour même à l'inhumation car en cette saison il faisait nuit à dix-sept heures. La cérémonie fut fixée au lendemain midi en un lieu situé en contrebas du Château face à la mer. On aurait le temps de confectionner un cercueil de bois rudimentaire et de creuser le trou, pourvu que le sol ne soit pas déjà gelé. Valentina souhaitait voir une dernière fois Mathilde Van Meegeren avant qu'on referme la boîte. Nous fûmes introduits dans son appartement. On avait pris le soin de rendre la dépouille présentable, elle reposait au milieu du lit, étendue sur le dos et mains jointes devant elle, on lui avait passé par-dessus son déshabillé de soie un manteau de velours grenat brodé qu'elle avait laissé en évidence sur le dossier d'une chaise. Peut-être à cause de sa haute taille, de la beauté de ses cheveux châtains, de sa peau si blanche et de ses traits acérés, elle évoquait une de ces princesses barbares que l'on voyait dans les anciennes bandes dessinées. Le lit de grande dimension avait été positionné face au bow-window donnant sur le grand large. Valentina connaissait Mathilde depuis deux mois à peine, mais il s'était produit entre elles une mystérieuse osmose. Valentina resta un moment debout en recueillement devant la défunte vêtue de grenat et bottée de cuir noir souple et patiné. Puis elle se mit à genoux, se signa à la manière orthodoxe, joignit les mains et murmura ce qui ressemblait à des prières. Elle se releva et, une fois sur ses pieds, adressa en silence un dernier message à Mathilde Van Meegeren. Puis elle se tourna vers moi et s'effondra en pleurs contre mon épaule, J'ai le sentiment, dit-elle entre deux sanglots, que je vais enterrer ma dernière amie sur terre. Puis elle se secoua comme elle en avait l'habitude et eut un rire aigrelet, Mais au fond pourquoi la plaindre, c'est moi qui suis maintenant en première ligne, il n'y a pas lieu de pleurer.

Trois jours plus tard il se mit à neiger, on eut l'impression que cela ne s'arrêterait jamais. Les anciens disaient qu'on n'avait pas vu tant de neige si tôt dans la saison depuis des temps immémoriaux et pronostiquaient un hiver apocalyptique. Ce dérèglement était dû à une conjonction de facteurs rares, des entrées maritimes d'une ampleur exceptionnelle poussaient leurs grosses vapeurs moites vers l'intérieur des terres et les transformaient en précipitations neigeuses au contact du front glacial stationné au-dessus de nos têtes depuis dix jours, venu de quelque lointain pôle Nord.

Le mardi soir, quelque chose avait basculé dans l'atmosphère. Pendant une heure les éléments observèrent une pause, le ciel se recadrait en vue de grands événements cosmiques, puis en fin de soirée les flocons de neige commencèrent à tomber, poussés par une brise molle qui soufflait à vitesse régulière. Il neigea sans discontinuer jusqu'au lendemain matin. Faute de disposer des habituels relevés scientifiques disponibles sur les écrans, on se mit d'accord pour dire qu'il était tombé de vingt à trente centimètres de neige.

Après l'enterrement de Mathilde j'étais resté au Château sous prétexte d'aider Valentina et Archibald à solder la *succession* de Mathilde. J'avais des doutes sur l'intégrité morale du vieux conseiller fiscal, mais en l'occurrence il fut irréprochable. Personne ne lui contestait le titre d'exécuteur testamentaire de Mathilde Van Meegeren, et il héritait des pleins pouvoirs au Château. Il aurait pu en chasser le jeune gigolo Branco juste pour se faire plaisir ou le punir d'avoir prétendument abusé des largesses de sa maîtresse. Il aurait pu réclamer un loyer à Valentina ou lui demander de quitter les lieux puisque les séances de réflexologie venaient de prendre fin une fois pour toutes. Il aurait pu recruter à leur place de nouveaux locataires capables de payer des sommes mensuelles aussi extravagantes que Joe Rastoul. Par loyauté envers Mathilde ou parce qu'il sentait lui-même sa propre fin proche, il commença par les rassurer, Bien entendu, vous pourrez rester au Château aussi longtemps que vous le voudrez, vous êtes ici chez Mathilde, et c'est ce qu'elle aurait souhaité.

Archibald était seul à savoir où Mathilde cachait la fortune qu'elle avait emportée avec elle et à connaître la combinaison du coffre. En dehors de lui personne ne savait non plus combien d'argent il restait. On croyait savoir que l'ancienne banquière gardait au Château plus d'argent qu'elle ne pourrait jamais en dépenser, mais était-ce un million ? cinq millions ? Il m'était parfois venu cette idée glauque que n'importe qui dans la maison aurait pu s'emparer du vieux conseiller, le travailler au chalumeau jusqu'à lui faire avouer son secret, il aurait conduit son tortionnaire jusqu'au coffre et lui aurait remis sans se faire prier les liasses de billets. D'autres gens auraient pu avoir la même idée, cela paraissait tellement simple de faire main basse sur le trésor. Ce n'était pas le genre de Rastoul, car les joueurs ne sont pas des tueurs, mais la tentation aurait pu effleurer l'un ou l'autre des vigiles ou des journaliers qui avaient déjà travaillé au Château. Or personne n'avait osé passer à l'acte. Dans la Péninsule, vous pouviez en toute impunité attaquer des voyageurs égarés, les dépouiller de leurs bijoux et de leurs billets de banque, les tuer au besoin, personne ne tenterait de vous retrouver, les voyageurs n'avaient qu'à prendre leurs précautions. Jamais en revanche on ne tolérait que des bandits fassent irruption dans une ferme ou une résidence sécurisée, torturent et assassinent les occupants. Quand cela s'était produit, on avait traqué et trouvé les tueurs, les représailles avaient été exemplaires. Chacun le savait et avait été averti, la violation de domicile constituait le crime suprême pour lequel il n'y avait aucun pardon, comme le vol de chevaux au Far West il y a deux siècles. Ici les tueurs n'avaient aucune chance de s'en tirer, aucun lieu pour se cacher. D'ailleurs qu'auraient-ils bien pu faire de grosses liasses de billets, personne n'acceptait des sommes importantes de la main d'individus inconnus. On pouvait commettre de petits larcins pour payer ses dépenses courantes, mais il ne servait à rien de s'attaquer aux grandes fortunes.

Archibald s'abstint de nous conduire au coffre-fort pour l'ouvrir devant nous, mais il en aurait été capable tellement la mort de son amie l'avait abattu, tout lui devenait égal. C'est avec une parfaite indifférence, devant moi et sans se cacher de Joe Rastoul, qu'il sortit de sa poche deux enveloppes et les tendit respectivement à Valentina et à Branco. Il y avait cinq mille UC pour elle et dix mille pour lui, Mathilde pensait que ce petit cadeau pourrait vous être utile. Personne n'osa lui demander combien d'argent il restait dans le coffre, ce qu'il comptait en faire et à qui il allait à son tour le léguer à sa mort. Si ça se trouve, il ne restait pas grand-chose, quelques dizaines de milliers, juste de quoi faire tourner la maison, assurer la paye des hommes de la sécurité et s'offrir encore quelques soirées au Stardust.

Au réveil ce matin-là, Valentina était restée en contemplation devant le manteau neigeux qui avait tout recouvert avec fantaisie au gré des bourrasques. On avait beau regarder dans toutes les directions, on ne voyait que ce tapis de mousse vierge ondulant à perte de vue. Dehors le silence était parfait, on entendait distinctement la plus petite nuance des mouvements de la mer. Je crois que vous êtes mon prisonnier, Jimmy Durante, dit Valentina en me faisant joyeusement la bise. Vous devez me croire sur parole, les routes sont aujourd'hui impraticables, vous n'avez plus qu'à vous déclarer en arrêt maladie.

Oncle Ho pouvait comprendre ce cas de force majeure. En cas d'urgence, il pourrait toujours me faire chercher par son chauffeur, il savait où me trouver et pouvait deviner que j'étais immobilisé contre ma volonté. De fait il n'y avait plus aucun moyen motorisé de ressortir de la résidence. Avec son châssis trop bas, la limousine blindée était inutilisable sur des chemins très enneigés même avec des pneus équipés de chaînes. Lorsque la neige aurait été bien tassée par le passage des autres véhicules on pourrait peut-être s'y risquer, mais cela pouvait prendre des jours ou des semaines. En attendant nous allions vivre en autarcie, cela ne posait pas de problème, on avait stocké pétrole, vivres et produits de première nécessité, on avait de quoi tenir quatre ou cinq semaines. Pour compléter le ravitaillement on pouvait compter aussi sur les vendeurs ambulants, certains étaient équipés de véhicules tout-terrain. Nous n'étions pas complètement coupés du monde. Cependant nous ne pouvions pas rester comme ça indéfiniment, privés de tout moyen de transport pour les situations d'urgence.

L'année dernière la maison Van Meegeren disposait d'une vieille jeep fort utile car elle passait à peu près partout, même dans la neige, mais elle agonisait et on l'avait revendue au printemps pour le prix des pièces. Valentina avait vécu la même situation à East Point au cours de son premier hiver, ils étaient une quinzaine, coupés du reste du monde sur leur promontoire pendant un mois, le Range Rover ne passait plus à cause des congères et de la configuration des lieux, et on n'avait pas encore d'engin à chenilles. On s'était résolu à envoyer en direction du pôle le plus proche deux hommes à pied, mais leur progression avait été si lente dans la neige fraîche qu'ils s'étaient fait surprendre par la nuit et avaient perdu tout sens de l'orientation. On les avait retrouvés au printemps dans une crevasse.

Archibald nous convoqua chez lui, c'est-à-dire dans les appartements de Mathilde où il venait d'emménager, la pièce principale lui servirait de bureau et de salle de réunion. Outre Branco et Joe Rastoul, il y avait un jeune quadragénaire sportif du nom d'Herman, Valentina et moi-même. Le vieux fiscaliste était toujours aussi accablé et parlait d'une voix atone, Mes amis, la situation est mauvaise, je ne sais pas ce qui va nous arriver. Nous avons de quoi tenir six mois en nous serrant la ceinture, mais pas davantage.

Mathilde avait cessé de compter, elle jetait l'argent par les fenêtres. Il y avait eu les sorties ruineuses au Stardust et dans des endroits du même genre, mais pas seulement. Elle avait engagé au prix fort des ouvriers pour des travaux qui n'avaient rien d'indispensable. Elle avait entièrement fait repeindre le salon du bas en vue de cette fête anniversaire, certes merveilleuse, mais dont le coût final donnait le vertige. Depuis un an le groupe électrogène tournait à plein régime et nos dépenses en pétrole avaient atteint des sommets intolérables. Il fallait de toute urgence réduire notre consommation, imposer un véritable rationnement, mais aussi trouver de nouvelles sources de revenus, investir dans je ne sais quel business, sans doute prendre de nouveaux locataires, il fallait en somme mettre en œuvre un certain nombre de mesures énergiques, et Archibald s'en déclarait incapable.

Pour l'instant ça allait encore, mais pour combien de temps ? En principe nous avions des stocks de vivres pour un mois et demi, mais personne n'avait réalisé d'inventaire depuis longtemps. Côté pétrole, il nous restait dans les cuves à peine vingt jours de consommation au rythme actuel, il fallait donc réduire au minimum le chauffage et l'électricité et se mettre en quête de carburant à bon marché. Jusque-là au Château rien n'avait été compliqué : si on manquait de ceci ou de cela, on puisait dans la caisse et on payait, comme nous avions la réputation de le faire sans discuter, les fournisseurs ne s'étaient pas gênés pour gonfler ou doubler leurs tarifs, Mathilde réglait toujours. Il fallait remettre de l'ordre dans la maison, repartir de zéro, et Archibald était complètement dépassé par la situation,

Comment voulez-vous que je trouve des barils de pétrole à un prix abordable, je n'ai jamais fait ça de ma vie, Mathilde me donnait l'argent et je payais les vendeurs, je ne sais même pas combien cela faisait. Et puis la sécurité, les gardes, tout ça je n'y connais rien. Durante, vous qui en connaissez un rayon dans ce domaine, combien faudrait-il d'hommes pour assurer une protection raisonnable de la résidence ? – Au moins six, et si possible dix. – Nous en sommes à trois, nous n'avons pas remplacé les derniers partants, imaginez que Mathilde avait justement eu l'idée de faire des économies à ce poste !

Nous n'avions pas d'autre choix que de nous débrouiller avec les moyens du bord, Herman serait chargé de la réorganisation de la sécurité puisque c'était son métier, il déterminerait les besoins en hommes et en matériel et s'occuperait de trouver le cas échéant des recrues fiables, Branco aurait la charge des stocks et des approvisionnements, Joe Rastoul s'occuperait du pétrole, Valentina serait provisoirement chargée d'explorer de nouvelles pistes pour faire rentrer de l'argent dans les caisses, fallait-il chercher des locataires, investir dans une entreprise commerciale, ouvrir un atelier de sous-traitance comme tous les autres ? L'assemblée convint à l'unanimité de se revoir la semaine suivante et de se prononcer sur des propositions concrètes. Herman ouvrit la bouche pour la première fois, Il y a un problème qui ne peut pas attendre, il nous faut un véhicule qui passe dans la neige, on ne peut pas rester comme ça. – Mais pourquoi a-t-on revendu la jeep ? se lamenta Archibald – Elle était morte, un gars est venu et nous a proposé mille UC pour les pneus, les pièces détachées et le métal. – On peut en trouver une à combien ? – En plein hiver cela peut monter à dix mille. Ou plus. – Dix mille ! C'est tout simplement hors de question.

Et le traîneau ? demanda Valentina. Les autres la regardèrent d'un œil perplexe. Oui, il y a un traîneau attelé au fond de la remise, Mathilde me disait qu'elle l'avait utilisé pendant tout un hiver. – Utilisé comment ? C'est une luge ? demanda Branco – Utilisé avec un cheval. – Un cheval ? Où en avait-elle trouvé un ? – Ce n'est pas si compliqué.

Archibald chercha dans ses souvenirs confus. Il y avait bien eu un traîneau tiré par un cheval, c'était exact, et le traîneau devait encore être quelque part dans cette remise. Mais il ne savait plus d'où venait l'animal, ce qu'il faisait là, peut-être l'avait-on trouvé sur place, abandonné par les précédents occupants, lorsqu'on avait emménagé dans la maison. Il n'avait pas la moindre idée de ce qui lui était arrivé. Peut-être l'avait-on revendu. Ou bien mangé, ricana Rastoul. – Toujours est-il que nous avons sans doute un traîneau, mais pas de canasson pour le tirer. – Je crois que je sais comment on peut arranger ça, dit Valentina.

La solution avait pour nom Schumacher, ce fermier prospère dont elle m'avait indiqué de loin le hameau fortifié le jour où nous avions fait le voyage à East Point. Cet homme et son clan étaient à la tête d'une véritable petite entreprise, ils faisaient de tout, culture, élevage, agro-alimentaire. Ils utilisaient des chevaux de trait, la plupart ne servaient à rien pendant l'hiver, Schumacher serait enchanté de nous en louer un pour quelques mois. Il faudrait sans doute lui laisser un dépôt de garantie, deux ou trois mille UC devraient suffire, Schumacher était un homme honnête et on récupérerait la caution sans difficulté. D'ailleurs Valentina était disposée à puiser dans les cinq mille UC que lui avait laissés Mathilde, étant entendu qu'elle laisserait tout de même à Archibald le soin de régler le prix du louage proprement dit. Vous semblez y tenir à ce cheval, dit Archibald. – Un traîneau attelé peut nous être très utile, en attendant qu'on trouve ou non une nouvelle jeep. Je me suis beaucoup occupée de chevaux il y a longtemps. – Je tiens donc pour acquis que vous vous chargerez de son entretien.

Elle expliqua la manœuvre, qui était juste un peu compliquée. Demain ou après-demain, l'hôtel des Mouettes finirait bien par envoyer chercher Jimmy Durante, elle l'accompagnerait et se ferait prêter un véhicule en état de circuler dans la neige, elle irait en compagnie de Jimmy jusque chez Schumacher, conclurait la transaction et ramènerait elle-même le cheval. Par prudence il faudrait seulement s'assurer que le véhicule accompagnateur ne la perdrait pas de vue, bien entendu l'opération devait être bouclée avant la tombée de la nuit.

L'opération fut rondement menée. Après s'être assurée auprès des hommes de la sécurité de l'état réel de la route, Valentina obtint d'Oncle Ho qu'il nous prête la Subaru qui finalement s'adaptait bien à la neige, il fallait seulement veiller à rester au milieu du chemin et éviter la sortie de route, car la neige par endroits effaçait tout repère. Il fallut plus d'une heure pour arriver en vue de la maison de Schumacher. L'homme était grand et large d'épaules, avait le front dégarni, Valentina lui fit un signe de la main. Il lui adressa un salut silencieux. Il vaut peut-être mieux que j'y aille seule, il n'aime pas les visites, me dit-elle en s'extirpant de la voiture, ça ne devrait pas être trop long.

Une demi-heure plus tard, je les vis réapparaître, le patron des lieux tirait derrière lui un cheval noir aux dimensions impressionnantes, avec de lourds sabots décorés de poils raides et touffus. Schumacher tendit les rênes à Valentina tout en lui donnant des explications qu'elle écoutait en hochant la tête. De la main gauche elle flattait la puissante encolure. Il devait lui expliquer comment diriger la bête car elle actionna les rênes pour la faire tourner d'un côté puis de l'autre tout en lui donnant des ordres dans un dialecte bizarre. Il n'y avait pas de selle, mais à la place une épaisse couverture bien rugueuse fixée au moyen d'une sangle. Valentina fit encore tourner le cheval pour tester sa souplesse et sa docilité, puis elle l'immobilisa, garda les rênes bien en main, s'accrocha à la crinière et, s'appuyant du pied gauche sur les mains jointes de Schumacher qui lui faisait la courte échelle, elle enfourcha sa monture avec une aisance et une précision parfaites, Venez Jimmy, lança-t-elle joyeusement, nous rentrons à la maison, vous avez vu ce bel animal, c'est un croisement de frison et de brabançon, Schumacher nous a prêté son plus beau cheval, mais surtout n'allez pas trop vite, ne me laissez pas seule.

15

Le bonheur dura trois mois et quelques jours, cela dépend de la manière de compter. Cet hiver-là fut la plus belle période de toute ma vie.

Nous formions un couple moderne selon les vœux de Valentina, chacun avait son domicile, nous nous rendions visite au gré de nos humeurs et des intempéries qui parfois rendaient les déplacements malaisés. Valentina passait parfois une nuit ou deux aux Mouettes, mais elle avait fini par en trouver le décor sinistre et les habitants *ectoplasmiques*, mis à part l'*insaisissable* Oncle Ho et l'*adorable* Ariston Pitt. La plupart du temps c'est moi qui lui rendais visite et m'attardais. Aux Mouettes d'ailleurs on avait moins besoin de mes services, la vie tournait au ralenti, nous vivions sur nos réserves et il y avait rarement plus de deux ou trois sorties dans la semaine. Profitez de la saison, me dit Oncle Ho, vous vous rattraperez au printemps. Profitez aussi de votre fiancée, prenez en soin. S'il y a urgence, ne vous en faites pas, je vous enverrai chercher.

Depuis qu'elle avait ramené cet imposant et majestueux cheval noir appelé Hercule, Valentina renouait avec une ancienne passion. Dans sa jeunesse, elle avait fait du manège, participé à des randonnées qui l'avaient menée parfois d'un bout à l'autre du continent. Chaque jour sa première pensée allait au nouveau pensionnaire, logé dans un coin de la remise réaménagée à son intention. Hercule avait droit au fourrage de la meilleure qualité et ne manquait jamais d'eau. Au saut du lit, vers onze heures du matin, après avoir bu son café et revêtu sa tenue de palefrenière, un Levi's 501 passé sous des bottes d'équitation usées, deux pulls trop grands et une parka en prévision du froid, elle me disait rituellement, Bon, je dois aller voir Hercule. – Il a de la chance d'avoir une telle maîtresse, il n'a jamais été aussi heureux, ce cheval. – Hercule et moi, nous nous aimons beaucoup.

Si j'en croyais ses récits, il lui suffisait de pousser la porte de la remise pour que l'animal commence à piaffer de joie. Peut-être y avait-il là une part d'exagération, mais le fait est que le cheval semblait apprécier tout le mal que Valentina se donnait. Plusieurs fois par semaine, si ce n'est tous les jours, elle brossait vigoureusement sa robe noire d'un geste précis et régulier, de bas en haut, pour obtenir un poil parfaitement lisse. Elle inspectait ses sabots et ses fers pour vérifier si des éclats de bois, des saletés, des cailloux n'étaient pas venus se glisser dans des interstices. Hercule se laissait manipuler comme un bébé et tendait l'un après l'autre ses énormes sabots à sa maîtresse, alors qu'il aurait pu la tuer d'une seule ruade bien placée. Tout en prodiguant ses soins, elle ne cessait de lui parler, je découvris que la langue utilisée était une forme dialectale de l'allemand comme on le parlait fréquemment dans le monde du cirque, des indications qui ressemblaient vaguement à des *Ruhe Ruhe*, *Weg*, *Rechts*, *Links*, etc. Hercule est l'un des chevaux les plus intelligents et sensibles que j'aie jamais vus, disait-elle, c'est un surdoué, il aurait pu faire une carrière au cirque, parfois il fait quelques pas de danse pour moi, il est un peu pataud mais tellement attendrissant. Elle le sortait tous les jours, le laissait flâner dans son enclos, mais le plus souvent elle le montait à cru et allait lui faire voir du pays ou lui montrer la mer.

Une fois remis en état, le traîneau se révéla extrêmement utile pour les besoins de la maison, il fut même pendant un moment notre seul véritable moyen de transport, on l'utilisait deux fois par semaine pour aller au marché. La plupart du temps nous avancions au pas mais, à condition de respecter le tracé des chemins pour éviter de renverser le traîneau, nous passions partout sans problème. Sur terrain plat et à condition que la neige fût déjà durcie, Valentina autorisait un petit trot à Hercule qui adorait cela. Il fallait seulement s'en tenir à des itinéraires balisés, à l'intérieur des terres une voiture à cheval aurait été une proie facile pour la première bande venue de vagabonds.

Valentina fit sensation aux Mouettes la première fois qu'elle vint me chercher dans cet équipage tiré par un colossal cheval noir soufflant des naseaux, un jour qu'il faisait particulièrement froid, elle avait les joues rouges, une toque de fourrure enfoncée jusqu'aux yeux et une vieille pelisse qui lui tombait aux chevilles. Les hommes en faction n'en revenaient pas de cette apparition dans le désert blanc. Je grimpai sur le traîneau à côté de la conductrice, Je commence à comprendre pourquoi votre milicien d'East Point vous traitait de comtesse russe, oui, tout ça, les chevaux, les fourrures. – Oh, c'était une plaisanterie, je n'ai jamais été comtesse, et je ne suis pas russe mais géorgienne. Ils confondent tout. *Rechts*, Hercule ! *Rechts* ! C'est bien, Hercule, *Gut* !

Le traîneau pouvait accueillir six passagers. Valentina, qui gardait toujours le sens des affaires, eut l'idée de proposer de petites excursions payantes à proximité sur un circuit en bord de mer. Je lui trouvai aux Mouettes des clients fortunés, des vieux qui avaient déjà connu ce plaisir dans leur enfance, et qui étaient ravis de se retrouver dans le froid de l'hiver, emmitouflés dans des fourrures épaisses. Le plus souvent, nous nous contentions de sorties à deux, nous prenions parfois le risque de nous écarter légèrement des sentiers battus. Un jour nous aperçûmes une petite troupe au loin dans les bois. Ils avaient peut-être un campement un peu plus loin, peut-être étaient-ils en train de déménager. On en voyait quatre ou cinq, mais ils devaient être plus nombreux. Ils nous avaient vus et marquèrent un temps d'arrêt. Je sortis le fusil automatique, celui qui généralement inspirait le respect. À l'endroit où nous nous trouvions il était impossible d'accélérer franchement ou de faire marche arrière, Il ne faut surtout pas s'arrêter ni ralentir, ils croiront que nous hésitons, regardez, un peu plus loin ça s'élargit, dit Valentina, on pourra faire demi-tour. Prenez les deux gros sacs derrière, on les leur jettera en repassant, vous leur parlerez. Combien de coups peut tirer votre fusil ? – Je ne sais pas, c'est presque illimité, cela dépend du niveau de la charge. – Alors ça devrait aller. Nous nous en sortîmes sans dommage, mais nous évitâmes par la suite les chemins de traverse. Je pourrais forcer Hercule à galoper, me dit Valentina, je l'ai fait quelques fois, mais ce n'est pas ce qu'il préfère.

Je ne vis rien venir.

Valentina avait parfois des quintes de toux interminables, mais elles n'étaient pas si fréquentes et après tout c'était l'hiver et elle n'était pas la seule à tousser. Un jour, j'avais trouvé par hasard, bien en évidence dans un tiroir de la commode, un coffret de plastique marron aux dimensions intrigantes, il contenait une seringue, un jeu important d'aiguilles et un lot d'ampoules de morphine. Je lui avais posé la question, elle m'avait répondu négligemment, Oh, c'est Mathilde, elle m'a laissé ça en me disant que ce matériel pourrait me servir. Cela me rappela soudain cette excursion à East Point et les « produits miracles » qu'elle avait dû acheter ce jour-là au mystérieux Gustav. Pour l'heure l'écuyère Ordjonikidze affichait toujours la même forme resplendissante, et sa relation avec Hercule lui donnait une mine radieuse, J'étais faite pour les activités de plein air, disait-elle. Au Château, les autres habitants sortaient à peine, Archibald restait cloîtré chez lui depuis la mort de Mathilde, la plupart étaient comme moi des citadins, des rats des villes, ils faisaient une fois, deux fois le tour de la maison, ils allaient voir la mer et se répétaient à eux-mêmes qu'on avait ici la plus belle vue de toute la côte, mais une immense lassitude s'emparait d'eux car ils se rappelaient également que c'était toujours la même perspective, la même mer, qu'ils la voyaient tous les jours et qu'ils l'avaient déjà contemplée mille fois, là-dessus ils rentraient à la maison. La nature me fout le cafard, finissait par dire Joe Rastoul, qui avait heureusement réussi à sauver sa machine à jouer aux échecs, le programme lui offrait la possibilité d'affronter cinq joueurs de différents niveaux, Dieu merci, il n'avait encore jamais battu le numéro 1, le plus coriace, et faisait à peu près jeu égal avec le numéro 2, il lui restait donc encore de grands défis à relever, cet objectif pouvait l'occuper cinq à six heures par jour, il ne s'ennuyait jamais devant un échiquier. Le soir, lorsqu'il n'avait pas réussi à nous entraîner dans une nouvelle partie de Monopoly, il rallumait sa machine et se délassait en affrontant le joueur n° 3, qu'il battait deux fois sur trois selon ses propres statistiques. Le numéro 3 a des points faibles intéressants, me disait-il, je commence à les connaître, mais ce ne sont pas toujours les mêmes, et puis ce joueur a une espèce de fantaisie admirable, on ne sait jamais s'il va nous faire en ouverture la défense sicilienne ou la partie des quatre cavaliers, il a en mémoire des parties célèbres des XVIIIe et XIXe siècles que tout le monde a oubliées, la Smith-Philidor de 1790, la « partie de l'Opéra » de 1858 entre Paul Morphy et le duo duc de Brunswick et comte Isoard-Vauvenargues, une vraie curiosité. Parfois le numéro 3 est si brillant que je le

laisse gagner rien que pour la beauté de la partie, prétendait Rastoul, il aimait bien se vanter.

Au début Branco se joignait à nous pour les soirées
Monopoly, ce qui nous faisait une table idéale à quatre
joueurs, le jour il s'occupait un peu d'Hercule, Valentina
l'autorisait parfois à faire sa toilette, tâche dont il
s'acquittait avec plaisir. Il avait fini par se lier avec
Wilkinson et passait beaucoup de temps avec lui, il lui
arrivait de rester aux Mouettes pour la nuit. À trois, le
Monopoly était beaucoup moins intéressant, d'ailleurs
Valentina n'était pas une joueuse appliquée, elle achetait
ou vendait n'importe quoi et parfois gagnait tout de
même, cela exaspérait Rastoul pour qui le jeu était la
seule activité digne d'intérêt au monde, et nous avions
espacé nos soirées de jeu.

Nous vivions le plus souvent reclus chez Valentina. Elle
préparait la table de manière cérémonieuse, sortait une
nappe toujours impeccable, des couverts d'argent qu'elle
possédait en nombre restreint mais qui avaient le poinçon
de rigueur, de beaux verres à pied dont trois exemplaires
avaient survécu à diverses migrations, après quoi elle préparait invariablement un plat de pâtes, capellini *tre minuti
di cottura* ou linguine, qu'elle accompagnait selon les arrivages de trois sauces de sa manière, l'une au roquefort,
c'est-à-dire un ersatz de roquefort, la seconde aux olives,
tomate (fraîche) et sauce piquante, à quoi elle aurait ajouté
les anchois de rigueur s'ils n'avaient pas complètement disparu, la dernière, apparemment la plus simple mais qui
nécessitait du doigté, *aglio e oglio*. Cet accompagnement
peut être tout simplement sublime, disait-elle, à la condition d'abord de trouver de l'ail de qualité, ce qui n'est pas
si simple, ensuite que tout le monde en mange en même
temps. Valentina tamisait les lumières, allumait son candé-
labre à cinq branches, on débouchait une bouteille de vin

argentin dont il restait à la cave un stock important et on savourait l'une de ces recettes dont la subtilité tenait essentiellement à l'art de cuire les pâtes *al dente*, ni trop ni pas assez. Si après tout cela on avait encore faim, il y avait toujours un reste de pâté de sanglier conservé au frais. La maîtresse de maison mettait de la musique pour accompagner le festin, des œuvres pour piano solo, des trios, des quatuors. Elle avait retrouvé dans les profondeurs de la discothèque un chanteur au timbre saisissant qui interprétait d'une voix de basse profonde éraillée une étrange et funèbre *Épître aux Corinthiens* qui ressemblait à un testament, il avait enregistré cet album quelques semaines avant sa mort.

O death, where is thy sting ?
O grief, where is thy victory ?
O life, you are a shining path
And hope springs eternal just over the rise
When I see my redeemer beckoning me...

Valentina me fit entendre une chanteuse depuis longtemps oubliée, elle était d'origine grecque et avait été follement amoureuse d'un capitaine d'industrie brutal à qui elle avait sacrifié sa carrière, puis elle s'était laissée mourir de chagrin après avoir été répudiée. L'enregistrement était une captation pirate réalisée en l'année 1954 dans l'un des plus anciens et célèbres théâtres au monde, Ironie du sort, me dit Valentina, la diva chante sa propre histoire, celle d'une femme cruellement abandonnée et qui s'abandonne elle-même au destin, voyez comme dans le finale elle s'écrie au moment précis où elle va mourir, Je renais, je renais, Ô joie ! Ô joie ! *O gioia* plutôt, car elle chantait en italien. Certains passages me font toujours pleurer, même si je les connais par cœur.

Nous discutions de la marche du monde, des étrangetés de l'existence, de personnages remarquables que nous avions croisés dans notre vie. Elle me raconta l'apparition qui avait un jour provoqué chez elle cette passion pour la musique. Elle avait dix ans, à l'occasion de je ne sais quelle commémoration un grand artiste de l'époque avait imaginé un défilé gigantesque et bariolé qui descendit pendant des heures l'une des plus célèbres avenues du monde, on y voyait des chars d'assaut tirer des salves de neige artificielle, de grands voyous barbus et tatoués frapper à coups de masse sur des bidons d'essence vides et rouillés. Soudain elle avait eu cette vision étrange, un char allégorique monumental, des tambours et des tam-tams empilés les uns sur les autres, au sommet de cette pyramide un sorcier africain battait lui aussi la mesure, à l'étage au-dessous une scène de théâtre avait été aménagée pour permettre à quatre danseuses noires, vêtues comme pour une représentation du *Lac des cygnes*, de se déhancher au rythme dicté par le vieux gourou perché. Soudain, venu de nulle part, un très court extrait, une musique de valse tirée du même ballet de Tchaïkovski, éclata dans la nuit chaude, couvrant de sa puissance le bruit du tam-tam et les rumeurs venues de la foule. Les quatre jeunes femmes, qui continuaient d'onduler au rythme de la musique primitive, donnaient l'impression de se mouvoir en apesanteur, elles flottaient divinement dans le vide à contretemps de Tchaïkovski. Valentina avait eu ce jour-là le sentiment irrépressible de toucher une vérité cachée, la conviction que la musique pouvait exprimer l'indicible, peut-être était-ce le signe annonciateur de toutes choses, des humains, de la matière, des éléments, des atomes et des galaxies.

Pendant ces quelques semaines où l'hiver avait arrêté la marche du monde, je lui faisais la lecture le soir jusqu'à ce qu'elle me dise, Cela suffit pour aujourd'hui, j'ai envie d'attendre demain pour connaître la suite. Parfois elle se contentait de pleurer silencieusement et me faisait signe de continuer. Elle aimait les histoires tristes où les héroïnes mouraient abandonnées, victimes de leur passion. J'avais entrepris la lecture d'un gros roman d'Edith Wharton, *Chez les heureux du monde*, Valentina s'enflamma pour la tragique et raffinée descente aux enfers de Lily Bart, elle insistait encore et toujours pour connaître la suite, je lui lisais deux chapitres entiers, elle réclamait le troisième, cela durait indéfiniment. Il devait être deux heures du matin, je m'étais encouragé au vin rouge, mais j'avais les yeux desséchés à force de lire sous un mauvais éclairage, elle redécouvrait soudain mon existence, Mais mon chéri, vous devez être horriblement fatigué, éteignez les lumières et venez au lit près de moi pour me réchauffer et me consoler de toutes ces choses affreuses que vous venez de me lire. Elle aimait l'*Adolphe* de Constant au-delà de tout, mais comme le récit était trop court à son gré, elle me demandait souvent de lui relire de nouveau la chute ou des passages tirés au hasard. Elle aimait alterner avec Borges, pour qui elle se passionna, Cet homme écrit de merveilleux contes, disait-elle, il me fait penser à ces archéologues qui nous parlent des civilisations englouties. Les nouvelles de Borges avaient le format idéal pour ce genre d'exercice avant de dormir, à la fin de l'histoire Valentina avait les yeux brillants et n'en demandait pas davantage, Je veux me souvenir de tous les mots de ce conte, disait-elle.

Nous étions à la fin du mois de janvier. Le redoux arriva de manière chaotique. En moins de vingt-quatre heures la température grimpa de dix degrés et la neige commença à fondre, deux jours plus tard le thermomètre repartit à la baisse dans les mêmes proportions et la neige fondante redevint de la glace. Peut-être le vent humide de la mer y fut-il pour quelque chose, on avait toujours dit que le redoux amenait avec lui les maladies. Sur la neige durcie, Valentina me ramena en traîneau aux Mouettes, le soleil éclatant était revenu avec le froid. En me laissant, elle me dit simplement, Je vais rester seule quelques jours, j'ai besoin de me retrouver, je suis un peu fatiguée. Je ne fis pas attention, cela faisait partie de nos habitudes. Je me contentai de la regarder, emmitouflée dans la fourrure et la toque de nouveau enfoncée jusqu'aux sourcils soulignant la beauté de ses yeux et de son nez, manœuvrer son très cher Hercule avec une autorité souveraine, et d'un simple contact un peu sec des rênes sur la croupe majestueuse le lancer au petit trot en direction d'un lieu où je ne me trouvais pas. Elle se retourna et m'envoya un baiser de la main.

Aux Mouettes c'était le train-train. Depuis que je m'étais habitué au Château, l'endroit me paraissait hideux et son environnement tristement masculin. Je n'avais plus goût à rien et ne trouvais plus guère de consolation que dans la compagnie épisodique d'Ariston Pitt, il supportait mes longs monologues où le nom de Valentina Ordjonikidze revenait trop souvent. C'est une belle femme, vous avez de la chance, me dit-il, de surcroît c'est une femme très courageuse. Avait-il dit encore une fois qu'elle était courageuse ? Par la suite je me suis demandé s'il disait cela par hasard ou s'il savait des choses que j'ignorais.

Je ne dirai pas que j'avais un pressentiment, ce n'était pas le cas. Je trouvais seulement le temps long. Je cherchais à m'occuper. Ironie du sort, Pomodoro me proposa de faire équipe avec Wilkinson pour les deux jours à venir. Accompagnés d'un troisième homme armé, nous partions avec le command-car pour distribuer à l'intention des campements et des vagabonds des produits de première nécessité, nourriture lyophilisée, lampes longue durée, couvertures chauffantes, en certains points précis à la périphérie de notre bourgade ou à la lisière des herbes hautes. Oncle Ho avait inauguré cette politique sous prétexte qu'il ne fallait pas pousser les populations nomades au désespoir et qu'on pouvait gagner leur sympathie ou leur neutralité à peu de frais. Depuis quelque temps, j'avais observé chez Wilkinson un changement d'attitude à mon égard, il s'était mis à me saluer quand il me voyait, puis les salutations devinrent amicales, ce qui ne le rendait pas bavard pour autant. Il était comme ces félins longtemps victimes de mauvais traitements dans des cirques miteux ou dans des ménageries aux allures de prison et qui se méfient de tout le monde. Wilkinson se mit au volant, le troisième homme s'installa sur la banquette arrière, le fusil automatique posé sur lui prêt à l'emploi. Le parcours n'était pas facile, il fallait s'approcher au plus près de secteurs où se concentraient les vagabonds, on empruntait de petits chemins enneigés où même le command-car risquait de s'enliser, on apercevait au loin la fumée d'un campement, des silhouettes sombres et furtives qui semblaient vouloir fuir à notre approche. En des lieux convenus, à peu près hors de portée des rongeurs, des sangliers et des renards, nous déposions nos livraisons solidement ficelées. Nous avions à peine le temps d'avancer d'une centaine de mètres que derrière nous une bande dépenaillée surgie des fourrés se jetait sur les paquetages. Les distributions de vivres, sauf imprévus, avaient lieu deux fois par semaine, le mardi pour le secteur sud, le jeudi pour le secteur nord, et on suivait toujours le même circuit. Quand on repassait au même endroit la semaine suivante, on pouvait voir par les traces de pas dans quelle direction les *sauvages* étaient repartis, combien ils étaient, cela permettait d'avoir une idée des mouvements de populations. Wilkinson était un homme sérieux, à son affaire, économe de ses paroles. Il disait, on va s'arrêter là-bas, vous voyez la plate-forme, c'est là qu'on laisse la marchandise. Il s'arrêtait à cet endroit précis, le troisième homme armait son fusil et sortait à moitié du véhicule, je descendais, j'allais à l'arrière prendre les colis et les déposer à l'endroit convenu, on repartait et on recommençait un peu plus loin. Wilkinson n'ouvrait plus la bouche, il se contentait d'un geste de la main, il faisait halte, je descendais et ainsi de suite. Je ne tentais pas d'engager la conversation. Le deuxième jour, à la fin de la tournée, alors que nous approchions des Mouettes, il me dit seulement, Capitaine Durante (il s'obstinait à me donner parfois du capitaine, par politesse ou pour me rappeler mon ancienne profession), je ne vous aimais pas du tout au début et j'ai même songé à vous tuer, puis Mme Valentina (devant moi il l'appelait Mme Valentina !) m'a dit qu'il ne fallait pas se fier aux apparences, que vous étiez quelqu'un de bien, et cela m'a suffi. Je crois maintenant que vous êtes vraiment un type honnête. C'est tout.

J'étais sans nouvelles de Valentina depuis quatre jours. Selon nos standards on approchait de la cote d'alerte. Elle avait bien dit, Je vous ferai signe, ou bien, J'irai vous chercher, il n'était donc pas question pour moi de me faire conduire au Château par l'un de nos hommes et de m'imposer, d'ailleurs il aurait fallu que je me confie d'abord à Pomodoro ou à Wilkinson, et c'était au-dessus de mes forces. Je me demandai si Hercule n'avait pas par hasard des problèmes de santé, auquel cas elle n'avait aucun moyen de locomotion pour venir jusqu'ici.

C'était le vendredi après-midi. J'étais désœuvré, je n'avais rien à faire et je commençais à être fébrile. Dans la nuit, le vent avait tourné une fois de plus et la température était brusquement remontée de plusieurs degrés. J'étais sorti de l'hôtel pour faire quelques pas et me changer les idées. Il n'y avait nul endroit où aller, ni bouiboui improvisé sur les quais, ni brocante sauvage, ni marchand ambulant. Peut-être les affaires reprendraient-elles dans deux ou trois semaines, lorsque la fin de l'hiver serait confirmée. Je me contentai de faire deux fois le tour complet de l'hôtel, d'aller jusqu'au quai du bassin n° 1 et de revenir. À quatorze heures, un des gardes m'appela de loin en me faisant force signes de la main. Le spectacle du traîneau tiré par le flamboyant Hercule avait toujours autant de succès, c'était une attraction. Je fis mine de ne pas me presser pour ne pas donner aux subalternes le spectacle de l'amant éploré. Valentina empruntait toujours pour arriver aux Mouettes une longue rue toute droite bordée de ruines, on la voyait arriver de loin, la masse noire du cheval était d'autant plus visible qu'elle tranchait avec la blancheur du décor. La masse sombre continua d'avancer vers nous. Soudain j'eus un coup au cœur, ce fut comme une déflagration, mille pensées se bousculèrent dans ma tête pour tenter de refouler la vérité qui se rapprochait au petit trot, de nier ce qui s'annonçait comme un grand dérèglement. L'humain juché sur le siège du conducteur n'était pas Valentina mais le jeune Branco, jusque-là il n'avait jamais eu le privilège de conduire le glorieux équipage et normalement il aurait dû manifester une joie de petit garçon de se voir accorder un privilège si inouï, mais il ne laissait voir aucun sentiment de ce genre, il regardait droit devant lui, le visage inexpressif. Il descendit de voiture avec une extrême lenteur, comme s'il voulait retarder indéfiniment l'instant de vérité, adressa un bref salut de la main aux gars en faction. Il avait dû m'apercevoir de loin et, une fois à terre, se dirigea sans hésitation vers moi avec la même lenteur. Il avait une lettre à la main, il était affreusement embarrassé et débita son message d'un trait, comme s'il l'avait tourné cent fois dans sa tête pendant le trajet et qu'il voulait s'en débarrasser au plus vite, Je ne voulais pas vous inquiéter inutilement, de toute façon nous ne savons rien de définitif, Valentina a disparu depuis trente-six heures, on ne sait pas où elle se trouve, vous saviez qu'elle était très malade, alors bien sûr c'est inquiétant, mais il ne faut pas tirer de conclusions hâtives, elle a laissé cette lettre pour vous. Je dois repartir de suite. Si vous devez venir au Château, je suppose que des gens ici pourront vous y conduire. En évitant de croiser mon regard, il bredouilla un au revoir inaudible et remonta sur le traîneau.

Je restai un long moment pétrifié comme une statue de sel, incapable de décider ce qu'il fallait faire avec cette lettre dont l'enveloppe cachetée portait écrite de la main de Valentina la mention *Pour Jimmy Durante*. Il me vint une fraction de seconde à l'esprit de la déchirer, de la brûler, en me disant que la destruction du message aurait peut-être pour effet magique d'annuler la séquence des derniers jours, de l'effacer comme si elle n'avait jamais existé, de reprendre le fil de l'histoire quatre jours plus tôt, quand elle n'avait pas encore déraillé. Une fois rentré chez moi, je posai la missive sur la table de travail face à la mer. Je m'assis comme un automate dans le fauteuil club et me versai deux verres de whisky que j'avalai cul sec. Vaguement anesthésié, je repris l'enveloppe, trouvai un couteau qui ferait office de coupe-papier et m'employai à la décacheter d'une incision sans bavure. Il y était écrit de la même écriture à la fois régulière et féminine, ample, élégante et inclinée :

Jimmy chéri,
Vous me pardonnerez j'en suis sûre de ne pas vous avoir dit adieu l'autre jour en vous quittant. Je n'aime pas les adieux et il n'y avait rien à dire, mais je ne pensais qu'à vous, et votre souvenir ne m'a plus quittée depuis. Vous aurez été sans doute ce qui m'est arrivé de mieux dans la vie. Personne avant vous ne m'avait lu de si belles histoires, elles se sont imprimées profondément en moi, je vais les emporter comme des

fragments de vous-même dont vous m'auriez fait cadeau, elles seront à jamais la preuve de ce que nous avons vécu ensemble. Je vous avais déjà dit que vous seriez mon dernier mari, donc le seul véritable, et je le pensais. Je ne vous aurais jamais quitté. Mais imaginez seulement, si notre vie s'était prolongée encore et encore, si nous n'étions jamais parvenus à mourir, vous vous seriez lassé de moi j'en suis sûre. Je pars aujourd'hui avec en moi ce grand bonheur de savoir que je comptais pour vous, même si moi-même je vous aimais encore bien davantage. S'aimer quatre mois, s'aimer quatre ans, quelle différence ? De là où je serai je penserai à vous, et vous viendrez me retrouver un jour.

Vous ai-je dit que je vous aimais ?

P.-S. – Ce qui m'est arrivé est très banal en cette région du monde. Il paraît que c'est la thyroïde, c'est ce que m'a dit votre docteur Borsellini, mais il y a aussi un « médecin » à East Point et il m'a dit la même chose. Je crois que vous n'avez jamais rien remarqué, j'en suis heureuse. Pour vous je resterai toujours vivante, à quoi sert de voir diminués ou morts les êtres qui nous ont été chers. J'ai tout prévu, je ne souffrirai pas une seconde, rassurez-vous. Une fois inanimée, je tomberai du haut de la falaise dans cet endroit curieusement nommé la baie des Disparus et je me dissoudrai à jamais dans l'océan.

P.-S. 2 – J'ai laissé dans mes appartements un coffret qui vous est destiné. Vous en disposerez à votre gré. Vous y trouverez deux médaillons à mon effigie, je trouve les photos très réussies, jurez-moi que vous en conserverez un avec vous à jamais.

P.-S. 3 – J'avais promis à Schumacher de lui ramener Hercule au plus tard le 1er mars. Pourriez-vous vous acquitter de cette tâche ? Faites-vous aider au besoin par Branco, il a maintenant du savoir-faire. Le louage a été intégralement versé à Schumacher, mais celui-ci doit vous rendre le montant de la caution, soit trois mille UC.

Vous ai-je dit que je vous aimais.

16

Branco et Archibald avaient fait creuser une tombe à côté de celle de Mathilde face à la mer. J'y déposai le coffret contenant quelques bijoux, un foulard de soie encore imprégné de son parfum. Sur la croix qui surmontait le cénotaphe, j'avais réussi à incruster l'un des deux médaillons. Du Château il y avait les fidèles, Archibald, Joe Rastoul et Branco, des Mouettes étaient venus Wilkinson et Ariston Pitt. Aussitôt la cérémonie terminée, on se sépara sans un mot ou presque. Avec Wilkinson au volant nous repartîmes vers notre résidence portuaire, pas une parole ne fut échangée pendant le trajet.

Dans la soirée, on frappa à ma porte. Devant moi se tenait Wilkinson, qui me dévisageait en silence de ses yeux noirs énigmatiques. Jimmy Durante, dit-il sans autre préambule, je sais que cela peut avoir de l'importance pour vous, je voulais vous dire au cas où vous vous poseriez la question, oui, il y a eu quelque chose entre elle et moi, mais vous n'avez pas à vous inquiéter, cela n'a pas duré, j'étais fou d'elle, j'aurais fait n'importe quoi, mais cela n'avait pas d'importance à ses yeux, elle m'appréciait, mais c'est vous qu'elle aimait. Je le sais et je voulais vous le dire.

Je lui dis d'entrer, il déclina l'invitation et resta sur le pas de la porte. Vous êtes un honnête homme, Wilkinson, et Valentina avait du respect pour vous. Je lui demandai pourquoi il avait tenu à me dire tout ça, et pourquoi maintenant. J'aime que les choses soient claires, dit-il en reprenant son air buté. Et puis je vais peut-être partir un de ces jours prochains. Avec Branco. Ils attendaient ce qu'il appela mystérieusement le « moment favorable ». Un cargo pour l'Australie vous voulez dire ? – Oui, un cargo pour l'Australie.

Le soir, il avait continué toutes ces dernières semaines à tenter de se connecter à la Toile chaque fois que passait un engin volant. Il me dit que Branco faisait de même au Château. À eux deux ils avaient fini par obtenir des informations, certes parcellaires, sur le trafic maritime dans cette ville portuaire choisie pour sa proximité et l'importance de son commerce. En assemblant patiemment des bouts d'images satellitaires qu'ils réussissaient à capter dans le désordre, ils avaient pu reconstituer un tableau à peu près utilisable des installations portuaires et de leurs abords.

Wilkinson ne me proposa pas de me joindre à eux, peut-être devinait-il que leur entreprise me semblait complètement absurde ou pensait-il que je serais un poids pour eux. Branco et lui étaient prêts à crapahuter dans les champs pendant des jours en tentant d'éviter les contrôles et à se cacher dans des étables la nuit pour atteindre leur destination. Une immense fatigue s'emparait de moi rien que de songer à ces marches harassantes, à la traque, à l'angoisse qui ne les lâcherait jamais, puis à ce moment où ils finiraient cernés par les forces de l'ordre. Avec un peu de chance, ils recevraient proprement une balle dans la tête. Je ne lui demandai pas comment il comptait se débrouiller avec cette puce numérotée qui se réactiverait dans son cerveau aussitôt franchie la ligne de démarcation. Je ne lui demandai pas non plus s'il en avait parlé à Branco, de cette puce greffée qui les ferait repérer à coup sûr. Je lui souhaitai bonne chance, est-ce que ce serait pour bientôt ? Oui, c'est pour très bientôt, monsieur Durante, plus rien ne me retient ici, nous attendons seulement le bon moment. J'irai en Australie, je vous le jure.

FIN

NOTAB/LIA

COMPOSITION ET MISE EN PAGES
NORD COMPO À VILLENEUVE-D'ASCQ

CET OUVRAGE
A ÉTÉ ACHEVÉ D'IMPRIMER
SUR ROTO-PAGE
PAR L'IMPRIMERIE FLOCH
À MAYENNE EN DÉCEMBRE 2014

N° d'impression : 87729
Dépôt légal : janvier 2015
Imprimé en France